마흔, 엄마가 꿈꾸는 나이

『평균 나이 40세, 상큼발랄했던 엄마들의 소소한 성장이야기』

마흔, 엄마가 꿈꾸는 나이

(평균 나이 40세, 상큼발랄했던 엄마들의 소소한 성장이야기)

발　행 | 2023년 12월 11일

지은이 | 온화한빛, 윤슬인, 송승연, 최선영

기획·편집 | 작가의 탄생 1기

펴낸곳 | 리더인컴퍼니

가　격 | 17,000원

출판등록 | 2023-000016호

책 출간 문의 | leedain.leader.in@gmail.com

ISBN | 979-11-985287-2-8

평균 나이 40세, 상큼발랄했던 엄마들의 소소한 성장이야기

『마흔, 엄마가 꿈꾸는 나이』

나의 꿈은 초보입니다

by 온화한빛

목 차

프롤로그

나의 북카페 한쪽에는 공유를 위한 장소가 있다. 소정의 금액을 내면, 누구나 사용할 수 있는 공간이다. 이곳은 지인들과 책에 관한 이야기를 나누는 곳이자, 처음 만난 타인과도 책 이야기를 할 수 있는 쉼터이다. 또한 다른 사람들의 눈치를 살피지 않고, 아이들과 큰 소리로 책을 읽을 수도 있다.

이건 내가 꿈꾸는 10년 후의 이야기이다.

"미안해, 오늘 갑자기 야근이 잡혀서 못 만날 것 같아."

전화 한 통으로 친구와의 저녁 약속이 취소된 어느 날. 그날따라 남편과 아이들이 있는 집에 들어가기 싫은 기분이 들었다. 남편에게 약속이 있다는 거짓말로 아이들을 부탁하고, 홀로 식당을 찾았다. 그간 가족으로 인해 자주 가지 못했던 육개장집으로 향했다.

이유 모를 이상한 기분과 함께 대파를 듬뿍 넣은 육개장의 매콤한 맛을 음미했다. 그리고는 정체를 알 수 없는 묘한 감정에 이끌려 카페로 향했다. 이마에 맺힌 땀방울을 닦는 것도 잊은 채, 책과 노트를 든 채로 무작정 발걸음을 옮겼다.

결혼을 앞둔 친한 동생이 결혼과 육아는 어떤 것인지 내게 물었던 적이 있다. 잠깐의 고민 끝에 입을 열었다.

"지금까지 네가 살아온 인생의 스펙트럼이 어느 정도일까? 그것보다 만 배 정도가 네 인생에 펼쳐질 거야. 지금까지 겪어보지 못한 희로애락을 알게 될 거야. 매우 힘들고, 슬프고, 화도 나. 그렇지만, 만약 아이가 없었다면 평생 느껴보지 못할 기쁨과 즐거움도 있을 거야."

나의 진솔한 답변에 그녀는 천천히 고개를 끄덕였다. 그녀는 나의 대답을 모두 이해하지는 못했을 것이다. 과거의 나도 그러했으니까.

육아는 나의 예상을 무색하게 만든다. 아이 둘은 2배가 아닌, 10배로 힘들 거라는 말은 진실이 되었다. 겨울엔 날이 추워서, 여름엔 에어컨 바람으로 인해 1년 내내 콧물을 달고 사는 아이들. 아이에게 열이라도 나는 날이면, 밤새 지켜보느라 잠을 잘 수도 없었다.

집안일이 한가득한데 아이들은 잠을 잘 생각이 없어 보인다. 결국, 소리를 지르고 나서야 잠든 아이들을 바라보는 나의 눈에는 하염없이 물방울이 떨어졌다. 내 마음대로 되는 것은 하나 없고, 지칠 대로 지쳐 좌절과 절망의 늪에 빠지고 있었다.

무언가 잘못되어 가고 있었다. 문제는 어디서부터 잘못된 것인지 알 수 없는 괴로움이었다. 남편은 결혼 전과 다를 게 없어 보이는데, 나의 삶은 무너지고 있는 것 같았다. 그런 남편, 그리고 아이들이 미웠다. 내 삶의 장애물 같다는 생각까지 들었다. 아이들이 없는 시간이 내게 행복일 정도였다. 이래도 괜찮을까, 늘 보이지 않는 가시가 나를 찌르고 있었다.

어느 날 남편에게 거짓말을 하고 갔던 카페에는 직장동료와 상사를 욕하는 사람들, 가족 단위, 친구 모임 등 많은 사람이 있었다. '결혼 전엔 나도 저런 삶이 있었는데….' 씁쓸한 마음에 혼자 앉아 핸드폰을 만지작거리며 이내 책을 폈다. 반은 조느라 읽었던 책 내용은 기억나지 않는데, 그날의 기분은 지금도 잊을 수 없다. 그 이후로 종종 남편에게 거짓말을 하고 혼자 카페에 가곤 했다.

그러던 어느 날, 문득 의문이 들었다. 나는 왜 자유를 얻기 위해서 거짓말을 해야 하는 걸까. 가족에게 나의 시간과 자유를 인정받는 사람이 되고 싶었다. 그렇게 자유로운 삶에 대한 꿈이 시작되었고, 그 꿈은 여전히 진행형이다.

그렇게 나다운 삶을 되찾기 위한 노력을 이야기하기 시작했다. 주위의 아이 엄마들은 내 말에 모두 공감하고, 응원을 보냈다. 그러나 꿈을 향해 함께 나아가는 것에는 망설이는 모습을 보였다. 나는 그들의 마음을 이해했다. 나 또한 그랬고, 지금도 그 생각에서 완전히 벗어나지 못했으니까.

나는 재테크에 성공한 사람도, 유명한 인플루언서도 아니다. 그저 육아의 굴레를 벗어나 성장하고, 역경을 극복하고자 노력하는 중이다. 내 이야기가 육아에 지친 나와 비슷한 삶을 살아가는 이들에게, 다정한 위로와 응원이 되었으면 좋겠다.

예쁜 아이를 보면서도 미운 마음이 든다면, 오늘도 아이에게 마녀가 되었다가 엄마로 돌아와 후회하고 있다면, 그런 날이 반복되면서 가슴이 답답하다면 어떤 답이 필요할까. 아이도, 나도 멋지게 성장하고 싶다면, 그 답은 '엄마이자, 나로서 성장하기'라고 생각한다.

우리에게 육아는 더는 장애물이 아니다. 조금은 천천히 가도 되는 완벽한 핑곗거리이자, 나로서 성장하기 위한 돋움판이라고 생각한다. 육아로부터 도망치고 싶은 우리 엄마들에게, 과거의 나 어쩌면 현재와 미래의 나와 같은 사람들에게 희망과 용기를 주고 싶다.

1장

엄마가 되다

전쟁 같은 육아

2019년 어느 날 새벽,

나: 여보, 나 배가 사르르 아픈데, 이거 진통인가? 아직 37주인데, 가
진통인가?
남편: 병원 갈까?
나: 근데 또 그 정도는 아닌 것도 같고…, 조금 기다려 보자.

부부는 새벽 내 고민하다 진료 시간에 맞춰 병원을 찾았다.

의사: 밤새 진통이었나요? 5~6센티 열려있어요, 얼른 분만실로 올라
가세요. 안 그러면 진료실에서 아이 낳을 수도 있어요.
나: 무통 주사는 맞을 수 있나요?

급하게 분만실로 올라가 출산 준비를 시작했다. 친구가 왔다며 밥을 먹으러 가는 남편을 보내주고, 침대에 누워 아이를 만날 생각에 신기하고, 설레었다.

간호사: 아버님 어디 가셨어요? 곧 출산이라 탯줄 자르셔야 해요.
나: 친구 만나러 갔는데요.
간호사: (어이없는 표정으로 바라본다.)

지금 생각해 보면, 나의 출산기는 코믹 드라마였다. 그리고 얼마 지나지 않아 첫 아이를 만났다.

간호사: 12시 49분 아들 출산하셨습니다.
나: (너무 못생겼다. 간호사님, 이 아이 제 아들 맞죠?)

그날 저녁부터 고통이 시작되었다. 회음부의 통증으로 제대로 앉거나 눕지 못할 정도였다. 엉엉 울며 잠을 청했지만, 새벽 수유콜에 깨어나야 했다. 아이가 배고파 울면, 모유 수유를 하고도 분유로 보충해야 했다. 아이를 재운 후에는 젖량을 늘리기 위해 유축을 해야 했다. 그때마다 나는 힘들고, 지치고, 좌절감을 느꼈다.

'내가 먼저인 엄마'가 되겠다고 다짐했었다. 적어도 조리원에서만큼은 과감히 새벽 수유를 포기하고, 나를 먼저 돌보겠다고 생각했다. 하지만, 새벽 수유를 하면 모유량이 늘어나고, 아이가 잘 큰다는 말에 '내가 먼저인 엄마'는 포기하게 되었다. 이기적인 엄마처럼 보이고 싶지 않았던 것 같다.

앉을 때마다 몰려오는 회음부의 고통에도 새벽 수유를 강행했다. 그래야만 할 것 같았다. 아이가 황달 끼가 있어 잠시 모유를 끊었던 3일은 너무 행복했다. 나는 좋은 엄마로 보이고 싶었던, 이기적인 엄마였을지도 모르겠다.

잠시 잠들었다가도, 아이 울음소리에 다시 힘겹게 눈을 떠야 하는 일이 끊임없이 반복되었다. 나는 피곤했고, 우울했고, 그래서 짜증이 났다.

아이에게 젖을 물릴 때면, 우울한 생각만 들었다. 육아에 집중하느라 나를 돌보지 못하고 있었다. 내가 슬픈 젖꼭지 증후군이 있다는 걸 몇 년이 지나고 나서야 알았을 정도니까. 나를 잃어가고 있었던 것 같다. 나 자신이 먼저인 엄마가 되고 싶다던 내 꿈은 까맣게 잊어버리고, 사회 통념에 맞춰진 엄마가 되기 위해 나를 몰아붙이고 있었다.

왜 아무도 나에게 알려주지 않은 걸까? 출산하는 순간 나에게 여유는 사치라는 걸 말이다. 아이는 3시간씩이라도 자는데, 나는 1시간도 겨우 잔다는 걸 말이다. 〈남편은 아이가 태어난 후 늘 행복해 보였지만, 나는 잠을 자면서도 불행했다. 나는 내가 왜 이렇게 힘들고, 지치고, 불행한지 이해할 수 없었다.〉

2장

마녀가 되다

잠만보에게 너무한 거 아닌가요?

아이가 응가를 했다. 빠르게 대처하지 못한 탓에, 아이가 입고 있는 옷, 갈아입을 옷, 내 옷, 아이와 내 이불까지 순식간에 빨랫거리가 5장씩 늘어났다. 장마철에 건조기도 없는데 큰일이었다. 방바닥엔 밤새 쌓인 기저귀와 빨랫거리가 여기저기 널려있었고, 그 방 침대 끝 어딘가에 나도 널브러져 있었다.

낮에도 밤에도 잠을 자지 못해 다크써클이 한가득 내려온 눈, 모유와 분유로 얼룩진 88사이즈 원피스, 짝을 찾지 못해 한쪽만 끼고 있는 손목 보호대, 8월 더위에 종아리까지 올라온 수면 양말, 언제 감은지 모를 떡진 머리의 나는 그날도 피곤한 몸을 이끌고 일어섰다.

모유 수유를 위해 혼자서 끓이는 미역국에 괜스레 눈물이 났다. 어질러진 집안을 보면서 한숨이 깊어졌다. 아직은 어색한 신생아와의 하루, 모성애는 낳는다고 생기는 게 아닌가 보다. 온종일 울고, 싸고, 나를 힘들게만 하는 아이를 무조건 사랑할 수만은 없었다.

낮잠을 많이 자서 밤에 잠을 못 잔다는 말은 내가 가장 이해할 수 없는 말이다. 온종일 밥을 먹지 않고도 24시간 내내 자는 게 가능했던 나에겐 이해할 수 없는 이야기다. 그런 내가 하루 2시간도 자지 못한 채, 집안일과 육아를 병행하는 것은 고문이나 다름없었다.

잠을 못 자니 사람이 좀비와 다를 게 없었고, 새벽에 수유하려고 깰 때면, 약에 취한 사람처럼 비틀거리며 분유를 타러 가곤 했다. 그때도 남편은 침대 한편에서 코를 골며 자고 있었다. 아이 울음소리는 내 귀에만 들리나 보다. 조용히 남편 머리끝까지 이불을 덮어주곤 했다. 나만의 소심한 복수였다.

나의 눈물은 백일이 될 때까지 그치지 않았다. 남편을 붙잡으면서 백일의 기적이 오긴 하는 거냐고 울부짖었다. 아이가 통잠도 자고, 육아가 더 수월해진다는 그 백일이 내 인생에는 오지 않을 것만 같았다. 어쩌면, 내가 힘든 까닭은 백일이 빨리 오지 않는 게 아니었다. 나를 힘들게 하는 이유는 내가 아니었을까.

많이 울지 않는 아이, 잘 먹고 잘 자는 아이, 내 머릿속엔 이상적인 아이를 키우고 있었으나, 현실은 달랐다. 그래서 더 육아에 집착하고, 잘해내고 싶은 욕심에 나를 희생시키며 육아를 해나가고 있었다.

아이가 백일쯤 되던 어느 날, 수면 교육에 대해 알게 되었고, 제 기능을 못 하는 손목과 몸 상태에 더는 물러설 곳이 없어 수면 교육을 시작했다. 내 예상보다 아이는 금방 적응해 주었고, 수면 교육에 성공한 첫날, 3달여 만에 푹 잘 수 있었다.

하루 이틀은 행복했다. 잠이 사람에게 이렇게 소중한 것인지 처음 알았다. 잘 자고 일어나니, 개운했고, 육아도 잘 해낼 수 있을 것만 같았다.

그건 착각이었다. 밤에는 잘 자는 아이였으나, 낮에는 등 센서가 있는 아이라 허리가 끊어지도록 아기 띠로 안고 재웠다. 집안일은 쌓여만 가는데, 나는 아이에게 얽매여 있었다.

안 자면 그냥 두라는 주위의 만류에도, 이렇게라도 재우지 않으면 너무 힘들다며, 아픈 허리를 부여잡고 아이를 재우곤 했다. 생리라도 하는 날이면, 자궁이 빠질듯한 통증까지 더해져 울면서 아이를 재웠다.

남편은 그럴 거면 재우지 말라는 말뿐이었다. 남편에게 재우라고 하면, 자지 않는다며 방에서 아이를 데리고 나와버리곤 했다. 그렇다고 안 재울 거면 놀아주기라도 하던지, 남편의 뒤통수가 더 얄미운 날들이었다.

아이에게 온종일 묶여있으니, 내 마음대로 할 수 있는 게 없었다. 둘째가 태어나니 양옆으로 나를 가만두지 않았다. 가장 기본적인 화장실 가는 일도 쉽지 않았다. 밤이면 번갈아 깨서 나를 찾았다. 출근하는 남편에게 괜히 심술이 나고, 남편이 저녁 약속이라도 잡는 날엔 화가 났다. 아이는 같이 낳았는데, 삶이 바뀐 건 나뿐이었다.

생기를 잃은 눈, 펑퍼짐한 몸매, 헝클어진 머리가 나의 일상적인 모습이 되었다. 그런 나는 스킨로션을 바르는 시간조차 사치가 되어버렸는데, 남편은 그대로였다. 하고 싶은 것을 즐기고, 사람 만나기 좋아하고, 꾸미는 것에 행복했던 나는 변했다. 〈그렇게 엄마가 되었고, 나를 잃어 갔다는 표현이 정확하겠다. 문득 나를 변하게 만든 것은 남편도, 아이도 아닌, 나 자신이 아닐까, 하는 생각이 들었다.〉

엄마라는 마녀만 있었다

　남편은 일을 해야 했고, 나는 육아를 담당했기에 온종일 집에서 아이들과 있어야 했다. 겨우 잠든 아이를 눕혀놓고, 잠시 설거지라도 하려고 하면, 어느새 첫째가 방에 들어가 동생을 깨우고 있었다. 나는 또 아이에게 소리를 지른다. 온종일 대화도 통하지 않는 아이들과 있어야 한다는 사실이 너무 답답했다.

　나: 우리 내일 부산 놀러 갈래?
　친구 1: 내일?
　나: 응.
　친구 2: 버스표도 없는데?
　나: 지금 끊으면 되지. 짐도 집에 가서 싸면 되고, 어때?
　친구 1: (망설이다) 그래.

친구 2: 나도 좋아.

나: 가자. 집에 가서 각자 짐 싸고 내일 아침 터미널에서 만나자.

예전의 자유롭던 나 자신이 그리웠다. 즉흥적으로 떠나는 여행도 좋아하고, 주말에 누군가 만나지 않으면 좀이 쑤셨던 나인데, 이제는 아이 때문에 친구들과 만날 기회도 줄어들었다. 그런데 남편은 여전히 자유롭게 친구들을 만나는 것 같아 화가 났다.

너도 약속 잡으라는 말로 반박하는 남편이 더 미웠다. 남편 이야기에 화가 나 밖에 나가려다가도 맞는 옷이 없어 망설이게 되고, 용기 내 밖에 나갔다가도 아이가 언제 울지 몰라 조마조마한 마음을 안고 다녀야 했다. 카페에 갔다가도 소리 지르며 뛰어다니는 아이들 때문에 급하게 집으로 돌아오곤 했다.

지금은 양손에 아들 둘 손을 꼭 잡고 씩씩하게 다니지만, 그때는 어린 아이를 데리고 혼자 운전하기가 무서웠다. 아이가 울면 어떡하지 두려움만이 가득했다. 첫째만 있을 땐 모든 게 서툰 왕초보 엄마라, 둘째가 태어나곤 아이 두 명을 데리고 나가기가 무서웠던 것 같다. 나간다 해도 친구들은 일하는 시간이었고, 갈 수 있는 곳도 한정적이었다. 나의 불만은 해소할 틈 없이 쌓이고만 있었다.

우유를 데워 식탁에 올려두고 잠시 화장실에 간 사이, 식탁과 바닥이 우유로 흥건하다. 식탁 위에 있는 내 책과 아이들 갈아입힐 옷, 잡동사니 등이 난리였다.

"엉금! 뻐끔! 엄마가 조심히 먹으라고 했지!!"

라고, 소리치며 아이들 엉덩이를 여러 차례 때렸다. 그렇게 오늘도 마녀가 되었다.

나는 무엇이 하고 싶을 때면 망설임 없이 도전했고, 원하는 대로 되지 않았던 적은 거의 없었던 것 같다. 그러나 육아는 생각대로 되는 일이 없으니, 짜증과 화가 자주 나곤 났다.

돌발상황이 생길 때마다 나는 마녀가 되었다. 육아에서 돌발상황은 흔한 일이었고, 그때의 나는 시한폭탄 같았다. 〈내 머릿속에 나는 나도 아니고, 엄마도 아니었다. 마음은 아직 20대인데, 몸은 이곳에 묶여있는 것 같았다. 남편은 여전히 그대로인데 나만 다른 세계에 놓인 것 같아, 아이도 남편도 미워지고 있었다.〉

예쁜 엄마가 될 줄 알았다

아침 출근길, 지각을 코앞에 둔 상황에서 횡단보도 신호에 걸렸다. 예민한 상황에 어디선가 들려오는 아이 울음소리. 얼굴에 울음기가 가득한 꼬마가 잔뜩 긴장한 채 엄마의 손을 붙잡고 있었다. 화가 난 표정을 짓는 엄마는 더운 날씨에 땀을 흘리며, 자신의 아이를 향해 낮은 목소리로 말했다.

아이 엄마: 너 집에 가서 보자. 조용히 해.
아이: 엄마~나 이거 하고 싶어.
아이 엄마: 조용히 하라고 했어. 너 여기서 엉덩이 맞을래?

아이 엄마는 화가 난 기색이 역력한 얼굴로, 주변을 의식하며 낮은 목소리로 말했다. 주변의 시선은 신경 쓰면서, 아이의 마음은 외면하는 그 사람을 이해할 수 없었다.

오랜만에 방문한 친한 언니의 집. 언니는 밥을 먹지 않는 아이를 쫓아다니느라 바빴다. 정작 언니는 밥 한술도 뜨지 못하고 있었다. 결국, 나까지 아이에게 밥을 먹이기 위해 움직이고 나서야 식사 시간이 끝났다. 밥을 먹이려고 왜 이렇게 진을 빼야 하는지 이해할 수 없었다.

결혼 전, 주위의 아이 엄마들을 볼 때면 나는 저런 엄마가 되지 않겠다고 늘 다짐하곤 했다. 그건 엄마가 되어보지 못한 미혼 여성의 이상이었을 뿐이었다.

베이지색 레이스 블라우스에 진한 분홍색 H라인 치마를 입은 여자, 그녀의 옆에 나란히 서 있는 꼬마 숙녀. 그들은 해맑게 웃으며, 비슷한 속도로 걷고 있다. 무언가 즐거운 이야기라도 하는 것처럼 두 사람의 얼굴엔 미소가 번졌다. 비 오는 날이면 커플 우비와 장화를 신고 놀이터 물웅덩이에서 뛰어놀며 행복한 시간을 보내는 모녀였다.

이러한 모습은 내가 상상했던 엄마로서의 나였다. 이 중에 무엇하나 이룬 게 없다. 살이 너무 많이 쪄 H라인 치마는 꿈도 못 꿀 일이며, 나는 아들만 둘이다. 두 아들의 엄마는 아빠가 된다는 말을 몸소 느끼는 중이다. 나는 내가 꿈꾸던 엄마가 아니었다.

나: 엉금, 뻐끔. 빨리 준비해.
엉금: 엄마, 나 응가 마려워.
나: 어린이집 버스 곧 올 시간인데, 이제 이야기하면 어떡해.
엉금: 급해, 급해, 쌀 거 같아.

아이의 잘못이 아닌데, 소리를 지르며 짜증을 내고 있었다. 화장실에 들렀다가 아슬아슬하게 어린이집 버스를 태워 등원시켰다.

엄마의 아침은 바쁘다. 그렇게 집으로 돌아온 엄마의 옷차림은 후줄근하고, 머리는 산발이다. 내가 꿈꾸던 엄마의 삶과 현실은 많이 다른 모양이었다.

워킹맘이 된 이후의 아침은 더욱 바빴다. 아이뿐 아니라 내 출근도 준비해야 하고, 낮에는 일을 하느라 집안일은 쌓여만 갔다. 퇴근 후 집에 돌아오면 정리되지 않은 집에 스트레스를 받으며 또다시 마녀가 되고는 했다. 〈꿈꾸던 엄마는 없고, 내가 싫어하던 모습의 엄마만 있었다. 나는 그런 엄마가 되지 않겠다고 다짐했었던, 과거의 나 자신이 부끄러웠다. 저런 엄마라고 생각했던 전국의 엄마들에게 죄송하다.〉

약속 취소 전화 한 통

"미안해, 오늘 갑자기 야근이 잡혀서 못 만날 것 같아."

어느 날 친구와 잡았던 저녁 약속이 취소되었다. 약속이 취소되어 남편에게 일찍 들어간다고 알리려다, 아이들과 남편이 미워 집에 들어가기가 싫었다. 남편에게 약속이 취소된 걸 알리지 않고, 좋아하지만 아이들과 남편 때문에 자주 먹지 못했던 육개장집에 갔다.

"이모, 육개장에 대파 많이 넣어주세요."

대파가 듬뿍 들어간 육개장을 빠르게 비운 나는 갑자기 정체 모를 두근거림을 느꼈다. 그렇게 알 수 없는 감정에 이끌려 책과 노트를 들고, 무작정 카페로 향했다. 육개장만큼 사람이 그리웠던 걸까. 카페의 구석에 앉아 주변의 사람들을 구경했다. 직장동료와 상사를 욕하는 사람, 가족들과 함께 온 사람들, 친구와 수다를 떠는 사람까지 여러 사람이 있었다.

'결혼 전에는 나도 저런 삶이 있었는데.'

주위를 보면서 오히려 씁쓸한 마음이 들었던 나는 조용히 책을 꺼냈다. 조금의 위안이라도 얻고 싶었나 보다.

반은 졸고, 반은 공감하며 읽다 보니 카페 마감 시간이었다. 그날 읽었던 책은 기억나지 않는데, 그날의 기분은 지금도 잊을 수 없다. 누군가의 눈치를 보지 않고, 내가 좋아하는 음식을 먹고, 내가 좋아하는 책을 읽는다는 해방감? 설렘? 어떤 단어로도 표현되지 않을 것 같은 심장 두근거림을 안고 집으로 향했다.

아이들이 자고 있을 거란 기대를 하며 집으로 돌아왔을 때, 옷도 갈아입지 않은 채 거실에 앉아 놀고 있는 아이들이 보였다. 괜스레 아이들과 남편에게 다시 화가 났다. 이내 마음을 가다듬고 아이들과 침대에 나란히 누웠다. 그때쯤의 나는 아이들에게 자주 짜증과 화를 내고 있었다. 평소였다면 책을 읽어달라는 아이들에게 얼른 자자고 했을 텐데, 카페에서 충전된 에너지로 열심히 읽어주고, 몸으로 놀아주고 나니, 나도 아이들도 웃으며 잠들 수 있었다.

그 이후, 카페에서 혼자 책을 읽는 시간이 길어졌다. 사색에 빠진 그 시간은 어느새 무더운 여름까지 이어졌다. 그러던 어느 날, 문득 나의 뇌리를 스치는 생각들이 있었다.

'결혼 전처럼 나로 살아갈 수는 없을까?'

'나로 살기 위해서는 어떤 일을 해야 할까?'

'나는 어떤 삶을 살고 싶은 걸까?'

'무엇이 나를 힘들어지게 하는 걸까?'

'나는 남편과 아이들이 왜 미운 것일까?'

이런저런 고민을 하다 보니, 지금 도대체 왜 힘든 것인지, 뭐가 힘든 것인지 모른 채 힘들다고만 하고 있었다는 생각이 들었다. 내가 힘들고 짜증이 나는 이유를 찾고 싶어졌다. 그 이유를 알아야 앞으로 나아갈 수 있을 것 같았다.

여전히 나는, 남편과 아이들을 사랑한다. 마치 짝사랑을 하듯, 그들이 잠들고 나면 살며시 방에 들어가 안아도 보고, 그들의 볼에 뽀뽀도 하면서 애정을 표현한다. 그런데도 다음 날 아침이 되면, 나도 모르게 그들을 원망하고 있는 나를 발견한다. 왜 미운 감정이 먼저일까, 내가 힘든 이유를 찾는다면 그 해답을 알 수 있을 것 같았다.

엉금: 엄마, 그런데.

나: 응?

엉금: 그런데, 사랑해.

나: 나도 사랑해.

엄마의 기분이 좋지 않아 보이면 조용히 다가와 이야기하고 사라지는 애교쟁이 아들. 나는 이 아이 덕분에 웃을 일이 더 많아졌으면서, 왜 그렇게 아이에게 짜증을 내고, 소리를 지르고 있었던 걸까. 〈아이의 이야기를 들어주고 기다려 주는 것보다, 소리를 지르는 게 더 빨리 해결되는 것 같은 느낌에 그랬던 것 같다. 이때의 나는 아이들에게 표현이 아닌 표출을 했던 것 같다.〉

3장

내가 되다

육아가 힘들었던 건 누구 때문일까?

남편이 처음으로 1박 2일 동안 아이들을 데리고 여행을 떠났다. 첫째 출산 이후로 5년 만에 처음으로 늦잠을 잤다. 푹 자고 일어나니 기분이 너무 좋았다. 여유롭게 머리도 하고, 좋아하는 영화도 보았다. 푹 쉬고 나니, 이틀 만에 본 아이들과 남편이 너무 반가웠다. 평소 같으면 아이들에게 짜증을 냈을 만한 일에도 웃으며 넘어갈 수 있었다. 신나게 아이들과 놀아주고, 잠자리에 누웠다.

가만히 누워 엉금이 눈을 바라보았다.

엉금: 엄마, 선생님이 나 죽 흘렸다고 혼내서 무서웠어.
나: 오늘?
엉금: 아니, 테레사반 처음 올라갔을 때, 선생님이 혼냈어.

여름이 끝나가는 시점에, 3월에 있었던 일을 이야기하다니, 나는 무엇을 놓치고 있었던 것인가. 뒤통수가 얼얼해지는 것 같았다.

나: 엉금아, 왜 그때 엄마한테 말해주지 않았어?

엉금: 그냥.

나: 지금이라도 이야기해 줘서 고마워. 다음에도 언제든 엄마가 필요하면 이야기해 줘.

아이에게 애써 덤덤한 척했다. 그러나 아이에 대한 걱정으로 쉽게 잠들 수 없었다. 오로지 나에 대한 이기적인 걱정들이, 아이에 대한 시야를 가리고 있었다. 아이에게 너무 미안했다. 그날 이후로 아이는, 자신의 유치원 경험담을 스스로 들려주곤 했다. 아이가 필요한 것은 엄마의 옆자리였다. 엄마는 그런 아이를 줄곧 힘들다는 핑계로 밀어내고 있었다.

언제부터였을까, 아이에게 짜증을 내면서 밀어내고 있었던 것은. 아마 남편과의 관계가 어긋나기 시작하고, 집안일이 벅차다고 느끼기 시작했을 때부터였지 않을까. 아이가 나를 찾는 것처럼, 나는 남편을 찾았다. 나의 걱정을 동반자와의 대화로 풀고 싶었다. 그러나 우리는 계속 어긋났고, 그 불협화음은 나의 일상에 점점 균열을 만들기 시작했다.

아이들에게 소리를 지르기 시작한 것도 그때부터였던 것 같다. 남편과 말다툼하는 일이 점점 늘어갔다. 남편과 다른 성향이 너무 힘들어 MBTI 성향 공부까지 할 정도였다. 사실 얼마 전까지도 냉전이었지만, 우리는 긴 대화 끝에 다시 잘 지내보기로 했다.

남편과의 갈등이, 아이에 대한 무관심의 사유가 될 수 없다고 생각했다. 나는 다시금 아이들에게 집중해야겠다 반성했고, 그날은 더 열심히 놀아준 후 아이들을 재웠다. 아이들이 잠든 후, 거실에 나온 시간은 저녁 9시 30분. 아이들에게 온갖 짜증을 내면서 재웠을 때와 비슷한 시간이었다. 아이도 나도 즐겁게 잘 수 있는데, 같은 시간이라니.

왜 나는 아이들에게 짜증만 냈던 걸까? 나는 아이들을 재우면서도 머릿속에 할 일이 가득했다. 퇴근 후 돌려놓았던 빨래와 아침에 하지 못했던 설거지를 해야 한다는 생각에 휩싸여 아이들을 보지 못했던 것 같다. 아이들은 내 상황을 모르고, 엄마랑 같이 노는 게 좋았을 뿐이었다. 그런데 나는 빨리 정리하고 쉬고 싶은 생각에 아이들이 보이지 않았고, 빨리 잠들지 않는 아이들에게 화만 났었던 것 같다.

나는 최악의 엄마가 아닐까, 라는 생각이 나를 괴롭게 만드는 순간이 많아지고 있었다.

작년 어느 가을 저녁, 첫째가 호랑이가 나타날까 무섭다며 잠드는 게 싫다고 고집을 피웠던 적이 있다. 호랑이 이야기를 해준 적이 없는데, 누가 말한 건지 원망하기도 했다. 아이라면 누구나 그럴 수 있는데, 그것마저도 원망하곤 했다.

호랑이는 나타나지 않는다고 계속 말했는데도 아이는 고집을 피웠다. 내 머릿속엔 온통 '또 시작이네'라는 말이 떠올랐다. 아이가 나를 괴롭히려고 일부러 그러는 것만 같았다. 아이를 겨우 재우고 나와, 지인들에게 물어봤다. 아이를 안심시켜 주라고, 아빠가 호랑이보다 세다고 알려주라고 하는 이야기를 들었다.

그날 저녁,

나: 엉금아, 호랑이가 나타나도 걱정할 거 없어. 왜냐면, 호랑이보다 아빠가 훨씬 세거든~!! 호랑이가 나타나잖아? 그럼, 아빠가 호랑이 얼굴을 주먹으로 퍽~때릴 거야. 그때 호랑이 이빨이 '우수수수~~~' 떨어질 거거든, 호랑이가 '엉금이 아빠 잘못했어요. 다신 찾아오지 않을게요.'하고 도망간다.

엉금: 호랑이가 도망가?

나: 응!!

엉금: 엄마 호랑이 이야기 다시 해줘.

그날 앵콜 요청에 10번을 넘게 응해주고 나서야 우리 모두 웃으며 잠들 수 있었다. 그렇게 호랑이 이야기를 하며 잠들기를 며칠,

엉금: 엄마, 호랑이가 나타나면, 아빠가 퍽~이빨이 '우수수수수~' 호랑이가 잘못했어요~잘못했어요~도망가~그럼 호랑이는 내 친구야.

이때도 아이에게 짜증 섞인 태도로 일관했다면, 아이와 나는 밤마다 괴로웠을 것이다. 아이를 있는 그대로 받아주려 노력하니, 힘든 상황도 놀이하듯이 즐겁게 지나갈 수 있었다.

이때처럼 아이 자체를 보려고 노력해 봐야겠다고 생각했다. 지금까지 느꼈던 육아의 고통을 아이와 동일시하면 안 된다는 생각이 들었다. 〈육아가 힘들었던 건 누구 때문이 아니라 나 때문이었다는 생각이 들었다.〉

엄마, 꿈을 찾다

육아가 힘든 게 아이들이나 남편 때문이 아니라 나 자신 때문이라는 생각이 들자, 정신이 번쩍 들었다.

'육아가 힘들다고 생각하지 않으려면 어떻게 해야 할까?'

'아니, 왜 나는 육아가 괴로운 걸까.'

'그런 생각을 하는 나는 지금 괜찮은 걸까.'

'하루도 빠짐없이 여러 생각이 교차하는 나는 어떤 사람인 거지.'

많은 생각이, 많은 날 동안 이어졌다. 조금은 답이 보이는 것 같기도 했고, 아닌 듯도 했다.

생각해 보면, 자유분방했던 나는 육아를 하느라 많은 약속과 일을 놓치게 되었다. 친구들과의 해외여행, 혼자만의 심야 영화, 늦은 저녁에 와인바에서 시간을 보내는 등 하고 싶은 것이 많았다. 그런 내가 그것들을 놓치는 이유는 아이들이라고 생각했었다.

이런저런 일을 하면서 체력 또한 나의 계획을 따라가지 못했다. 그런데도 육아와 살림을 위해서 마냥 누워있을 수만은 없었다. 휴식을 취하다가도, 쌓여있는 일거리에 지친 몸을 일으키는 날이 많았다. 이런 시간이 겹겹이 쌓이면서 나의 분노 또한 크게 자라났다. 그렇게 생겨난 화가 남편과 아이들에게 향했던 것 같다.

그러던 어느 날, 퇴근하고 귀가한 나를 반긴 것은 빵과 커피였다. 평소 꼭 가고 싶었던 제과점의 빵과 커피. 아이들은 엄마 거라며 그것들을 내 앞으로 내밀었다.

나는 감동하며 남편에게 물었다.

나: 여보, 이거 나 먹으라고 산 거야?
남편: 그냥.

남편은 그저 대답했다. 나는 약간의 실망감이 섞여 물었다.

나: 아니야?

남편은 우리 집에서 그걸 좋아하는 사람이 누가 있냐고 묻곤 안방으로 들어갔다. 나는 남편의 배려에 감동했지만, 아무 말도 하지 않았다.

남편과 나는 표현을 잘 하지 않는 부부였다. 남편은 가끔 빵순이인 나를 위해 조용히 식탁 위에 빵을 올려놓곤 했었다. 당신을 위해 사 왔다는 표현은 생략한 채. 나 또한 고마우면서도 말로 표현은 하지 않았다. 남편과의 불화도 내가 힘이 들어 시작된 게 아니었을까 하는 의문이 들기 시작했다.

나, 남편, 아이들이 모두 행복하게 살아갈 방법은 무엇일까. 생각의 늪은 좀처럼 나를 꺼내주지 않았다. 하고 싶은 일은 많지만, 육아로 인해 할 수 없는 일이 많아 아쉬웠던 걸까. 실제로 내가 그 일들을 해보면 어떨까, 생각은 해보았지만, 그것도 쉽지 않았다.

직장에 육아와 살림까지 여러 일에 치여 지쳐가던 나는, 진짜 하고 싶은 일이 무엇인지 잊고 있었다. 내 꿈이 무엇인지, 원하는 일은 무엇인지 다시 찾아야 할 필요가 있었다. 그렇게 내 꿈을 다시 찾아야지만 행복을 얻고, 마녀가 아닌 내가 될 수 있을 것 같았다. 지금 생각해 보면, 그 생각은 반은 맞고 반은 틀렸다.

나를 성장시키고 아이들과의 시간을 늘리기 위해서는 먼저 내 꿈을 이루고 출퇴근이 자유로운 직업을 가져야 한다고 생각했다. 그 꿈을 이룰 방법을 찾기 시작했다. 나를 성장시키고 가족들과의 시간을 많이 만들어 그들과의 행복을 찾고 싶었다.

열심히 책을 읽고, 공부했다. 꿈을 이루기 위해 이것저것 찾다 보니, 그동안 몰랐던 세상이 펼쳐졌다. 내가 나를 키우려 노력하니, 모든 세상이 나를 돕고 있는 것 같았다.

어느 주말, 아이들이 보여달라는 만화를 틀어주고 나는 책을 보고 있었다. 꿈을 찾기 위해선 무엇을 해야 하나 고민하다, 책을 먼저 읽어야 겠다는 생각에 더 몰입하던 때였다. 책을 읽다 보니 더 잘 읽고 싶어졌고, 인스타그램에서 독서 모임을 발견하여 참여하게 되었다. 사람들과 책에 관해 이야기를 나누고, 정보를 공유하다 보니 인스타를 제대로 하다 보면 내 꿈을 찾고, 미래를 꿈꿀 수 있지 않을까 하는 생각이 들었다. 나를 성장시키기 위해 둘러본 인스타는 기회의 장이었다.

책을 읽으며 다른 사람들도 알면 좋을 것 같은 내용을 공유하고, 브런치 작가에도 도전하며 글도 썼다. 이런저런 도전을 하며, 꿈과 미래를 향해 나아가던 때 SNS 친구인 '리더인'님을 만났다. 작가의 꿈을 이루게 해준다는 '리더인'님의 이야기에 도전해 보기로 했다. 얼마 전의 나였다면 '저거 하는 사람들은 좋겠다.', '특별한 사람들이 하는 거겠지. 나는 아니야.' 하며 넘어갔을 텐데, 이번엔 달랐다. 바로 도전하게 되었고, 그 용기의 결과로 이렇게 책을 쓸 수 있게 되었다.

내가 꿈을 이루기 시작하니, 주변인들은 '나도 뭔가 해야 하는데.' 하면서도, 망설이는 모습들이었다. 얼마 전의 내 모습과 닮은 지인들을 보면서 안타까운 마음이 들었다. 변화를 원하지만, 시작하기 두렵고 어려운 마음을 나는 잘 알았다.

아이는 엄마 껌딱지고, 집안일은 끝도 없이 늘어나는데, 체력은 바닥인 상황. 그런 상황을 나도 겪어보았다. 무언가 해야 한다는 생각은 들지만, 시도조차 쉽지 않다는 것에 대해 공감한다.

카페에서의 휴식, 내게 주어진 약간의 자유시간이 없었다면, 지금의 나는 어땠을까. 아마 아이를 재워놓고, 유튜브 쇼츠를 보며 다음날 출근을 두려워하는 저녁을 수없이 보냈을 것이다. 그러면서도 새로운 것을 시도해야 한다는 압박감에 눌려있었을 것이다.

내가 '작가의 탄생 1기'를 시작하게 되었던 날, 나의 꿈을 제일 먼저 아이들에게 알렸다. 아이들에게 내 꿈을 응원받고 나니, 어느덧 나는 자랑스러운 엄마가 된 기분이 들었다. 내 아이만큼 열정적으로 나를 응원해 줄 수 사람이 또 있을까. 아이들은 내 인생의 동반자라는 사실을 다시 한번 느끼는 계기였다. 육아가 버거워 도망치듯 카페로 달려갔던 어느 날, 내가 발견한 것은 자유, 그리고 꿈이었다. 지금, 그 꿈을 아이들이 응원해 주고 있다.

친정엄마는 칠순이 가까운 나이지만, 여전히 55사이즈 몸매를 유지하실 만큼 자기관리에 철저하다. 어릴 적 예쁘게 차려입은 엄마가 학교에 올 때면, 내 어깨는 한껏 승천하고는 했다. 내 아이들에게 나도 그런 엄마가 되고 싶다. 아이들과 언제나 함께하며 즐거운 엄마, 아이들이 닮고 싶은 사람이 되고 싶었다. 그래서 더 내가 성장해야 한다고 다짐하곤 했다.

엄마들이 본인만의 시간을 통해, 자신의 꿈, 자유 그리고 기회를 찾았으면 좋겠다. 나는 그 기회를 찾아가고 있다. 다른 엄마들에게도 기회는 있다. 엄마들이 꿈을 꾸고 기회를 잡아, 아이뿐 아니라 우리도 함께 성장하면 좋겠다.

그 희망이 책을 쓰게 만들었다. 나 자신을 사랑하고, 꿈을 향해 달렸을 뿐인데 꿈에 한 걸음 다가갈 기회가 왔다. 그래서 엄마들에게 혼자만의 시간을 추천한다. 일단 혼자 있으면, 타인의 시선을 신경 쓰지 않아도 된다. 물론, 처음에는 혼자만의 시간이 어색할 수도 있다. 단 10분, 아니 5분 만이라도 나 자신을 있는 그대로 관찰하는 시간을 가지면 어떨까. 그 시간은 당신이 꿈을 찾거나, 새로운 기회를 얻는 데 도움이 되리라 생각한다. 어떤 생각을 할지 고민이 될까, 예시를 적어 놓았다. 〈엄마들이 육아의 굴레에서 조금은 벗어나, 자신의 시간을 통해 꿈을 이

루는 모습을 상상해 본다.〉

혼자만의 시간에 하면 좋은 생각 List

1. 지금 나의 상태에 대한 질문

- 나는 지금 괜찮은가?
- 나는 왜 상처받았나?
- 나는 왜 그 사람과 맞지 않을까?

2. 내가 원하는 삶의 방향에 대한 질문

- 나는 어떤 엄마가 되고 싶은가?
- 나는 어떤 아내가 되고 싶은가?
- 나는 어떤 가정을 꾸리고 싶은가?
- 나는 어떤 사람을 닮고 싶은가?

3. 나의 취향에 대한 질문

- 나는 어떻게 스트레스를 해소하는가?
- 나는 어떤 상황에서 기분이 좋은가?
  혹은 기분이 나쁜가?
- 내게 행복은 무엇인가?

무언가 잘못되고 있었다

나를 찾기 시작하면서 책 읽는 시간, 새로운 것을 배우는 시간이 너무 좋았다. 전업주부였을 때 알았다면 얼마나 좋았을까. 하지만 워킹맘의 시간은 한정적이었다. 출퇴근 시간을 활용해 오디오북을 들었지만, 아직은 킬링타임용 유튜브를 듣는 게 더 재미있었다.

퇴근 후에는 가족들 저녁을 챙기고, 아이들을 씻기고, 책을 읽어주며 재우고 나면 10시였다. 아이들을 재우다 잠시라도 잠든 날은 더 피곤했다. 같이 잠들었다가 새벽에 일어나는 일도 흔했다.

나에게 하루에 허락된 자유시간은 저녁 10시에서 새벽 2시 정도까지였다. 이 온전한 자유로움을 느끼는 대가는 다음 날의 피곤이었다. 늦게까지 책을 읽다 잠들고 나면, 다음 날 아침은 전쟁과 같았다. 5분만 더 자고 싶은 마음에 여러 돌발상황을 만들었다. 나뿐만 아니라, 아이들까지 챙겨야 하니 조금만 늦어도 마음은 더욱 조급해질 수밖에 없었다. 그럴 때마다 내 안에 숨어있던 마녀가 다시금 고개를 내밀기 시작했다.

나: 빨리 일어나!

엉금, 뻐끔: (행동이 느리다)

나: 엄마 급해! 빨리빨리! 이건 혼자 할 수 있잖아! 이렇게 할 거면 아빠랑 해! 엄마는 갈 거야!

아이들의 행동이 느릴수록 나는 화가 났다. 왜 아이들은 아빠도 있는데, 무조건 엄마만 찾는 걸까. 나를 도와주지 않는 아이들에게 다시 짜증이 밀려오기 시작했다.

나로서 성장하기 위해 책을 읽고 강의를 들으니, 내가 살아나는 것 같아 신이 났다. 그러던 어느 날 아이를 재우며, 다시 화를 내는 나를 발견했다. 아이들을 재워놓고, 하고 싶은 것도 배우고 싶은 것도 많았다. 그런데, 아이가 내 뜻대로 일찍 자지 않으니 속상하고 화가 났다. 결국, 나의 분노는 다시 아이에게 돌아가고 있었다.

다시 마녀가 되어가고 있었다. 아침에 아이에게 소리를 지르고 출근하던 길, 무언가 잘못되어 가고 있다는 생각이 들었다. 나는 아이와 더 많은 시간을 함께하고 싶었고, 나로 성장하고 싶었다. 그래서 SNS 활동을 활발하게 했고, 책과 강의를 보는 데 집중했을 뿐이었다. 그런데 나의 자유에 심취해 다시금 아이들에게 소홀해졌다. 내 일을 핑계로 아이들에게 소리를 지르고 있었다.

그동안은 내가 힘들다는 이유로, 아이들이 짐 같다는 이유로, 많이 놀아주지도 않으면서 짜증만 자주 냈다. 그러다 나의 꿈에 대해 생각하게 되었고, 짜증이 나는 건 내 문제라는 생각이 들었다. 아이들에게 짜증을 내지 않으려 노력하고 있었고, 잘 해내고 있는 것 같아 뿌듯했다. 그런데, 이번엔 내 꿈을 찾겠다고 아이들에게 집중하지 못하고 있었다.

나는 왜 꿈을 이루고 싶을까. 꿈을 이루고 싶다는 생각만 했지, 그 문장에 '왜'가 빠져있었다. 내 생각의 결론은 이랬다.

더는 마녀가 되고 싶지 않아서, 가족들과 함께 행복하게 살고 싶어서, 자유로움을 얻고 싶어서. 이러한 이유는 구체적이지는 않았지만, 목적은 뚜렷했다.

내 꿈을 찾느라 가족을 잊고 있었다. 내 꿈을 찾는다는 핑계로 내가 꿈꾸는 이유였던 가족을 잊고 있었다. 방법을 찾아야 했다. 우리 가족이 다 함께 행복한 방법이 뭐가 있을까? 나의 욕구도 아이들의 욕구도 채워지면서, 함께 할 수 있는 공간이 필요하다는 생각이 들었다.

그렇게 우리들의 공간을 찾기 위한 여정이 시작되었다.

그 처음 시작은 어린이 도서관이었다. 어린이 도서관에 처음 방문한 날, 아이는 새로운 곳에 방문하여 들떠있었다. 어린이실에 들어간 아이는 신이 나 나에게 질문을 하였다.

엉금: 엄마, 여긴 어디야?
뻐끔: 쩌기~쩌기~
나: 응. 여긴 어린이들이 와서 책을 보는 도서관이야.
낯선 아이: 아~ 조용하면 좋겠다. 너무 시끄럽다.
나: (아이들에게) 쉿! 조용! (낯선 아이에게) 미안해. 친구야.

그리곤 한쪽 구석에 앉아 아이들에게 소곤소곤 책을 읽어주었다. 그런데 낯선 아이가 우리를 쫓아다니며 시끄럽다고 면박을 주는 게 아닌가. 불편한 마음에 자리를 옮겼으나, 이번엔 두 아들이 한자리에 가만히 있지를 못했다.

계속 눈치가 보여, 도망치듯 나와 도서관 앞 벤치에 앉았다. 길지 않은 시간에 너무 지쳐있었다. 아이들은 벤치 앞 공터의 운동기구에서 위험하게 놀고 있었다. 신나게 놀고 있는 아이들을 양손에 잡아끌고, 집으로 돌아갔다.

그다음 주말에는 작은 규모의 키즈카페에 방문했다. 아이들은 멀리서도 찾을 만큼, 시끄럽게 뛰어다니고 있었다. 뛰지 말라는 잔소리도, 주위의 따가운 눈치를 볼 필요도 없는 공간이었다. 신이 난 아이들은 땀을 뻘뻘 흘리며 놀이를 즐겼다. 뒤에서 지켜보니 엄마의 존재를 잊은 듯하다.

'됐다. 이제 내 일을 하면 된다.'

중간중간 아이들을 봐줘야 했지만, 집에서처럼 놀아달라 징징 대지 않으니 너무 좋았다. 열심히 놀다 집에 갈 시간, 아이 둘에 나까지 5시간 이용 금액은 79,000원. 시간당 가격으로 하면, 비싸지 않다고 할 수도 있지만, 매주 이렇게 돈이 나간다면, 우리 집 가계경제는 파산일 것이다.

그렇기에 키즈카페는 우리 가족을 위한 장소가 되기엔 부족했다. 나와 아이들을 위한 완벽한 장소는 언제 발견할 수 있을까. 아쉬운 생각을 안고, 쓸쓸한 마음으로 집으로 돌아갔다. 그러다, 자신이 원하는 장소는 스스로 만드는 것은 어떨지 하는 생각이 밀려왔다.

아이들과 장소를 찾으러 다니다 보니, 필요한 부분이 많았다. 우선,

아이들이 시끄러워도 괜찮은 공간, 비용이 많이 들지 않는 공간이 필요했다. 키즈카페는 비용이 만만치 않았고, 아이들과 함께하는 공간에 비용 때문에 고민하지 않았으면 좋겠다는 생각이 들었다.

아이들이 뛰어놀 수 있을 만큼 넓은 공간, 엄마들도 함께할 수 있는 쉼터, 게다가 책도 많아서 사람들의 지식을 넓힐 수 있는 장소를 원하기 시작했다. 카페에서 보낸 시간 동안 추구한 나의 성장은 엄마로서의 발전도 포함되어 있었다. 그러면서 아이와 함께 성장하는 엄마를 향해 나아가고 있었다.

그렇게 성장하는 방법을 여러 가지 찾으면서, 점차 성장할 수 있는 장소에 대한 필요성도 커지게 되었다. 그런 장소를 내가 만들고 싶다는 욕심이 생겼고, 이렇게 10년 후 나의 꿈 북카페 사장이 완성되었다. 〈나는 무엇을 잊고 있었나. 아이들과 남편에게 미안한 마음이 들었다. 남편과 아이들을 미워했던 나 자신이 부끄러웠다.〉

4장

가족이 되다

조급증이 생기다

아이들과 엄마가 함께할 수 있는 공간 만들기, 이게 내가 이루어 갈 방향이라는 생각이 들었다. 그런 공간을 만들고 싶어 책도 보고, 사람들과 이야기도 나누고, 부동산 공부도 했다. 하지만 워킹맘의 한정된 시간 때문에 공부하기가 쉽지 않았다.

여러 고민을 하다 SNS 친구 '바로세인'님이 운영하는 새벽 독서 모임을 알게 되었다. 새벽에 각자 책을 읽고, 본인의 생각을 나누고, 주어진 글감으로 글을 쓰는 모임이 처음엔 어색했다. 집중해서 독서만 하고 싶었는데, 몰입이 안 되는 느낌이었다. 하지만 일주일 정도 지나니 나의 잘못된 생각이란 걸 알게 되었다.

독서만이 답이 아니었다. 책을 읽고, 글을 쓰면서 머릿속에만 있던 생각들이 정리되고 더 명확해지는 느낌이 들었다. 그걸 다시 말로 표현하니 머릿속 생각을 정확하게 전달할 수 있게 되었다.

새벽에 나만의 시간을 가지니, 아이들과의 시간에 방해도 되지 않았고, 나도 성장하고 있는 느낌에 신이 났다. 그러다 욕심이 나기 시작했다. 조금만 시간이 더 있다면 더 빨리 성장할 수 있을 것 같았다. 조급증이 밀려오기 시작했다.

자신의 꿈을 찾아가는 사람들을 볼 때면, 다들 알찬 하루를 보내는 것 같은데 나만 일과 육아에 치이느라 제자리에서 맴도는 것 같았다. 하고 싶은 게 많은데, 엄마를 도와주지 않는 아이들을 볼 때마다 아쉬움은 커져만 갔다.

"여보, 나 못 일어나겠어."

어느 날 아침, 남편은 일어나지 못하겠다면서 내게 육아를 전담하게 했다. 출근 준비도 바빴던 나는 남편에 대한 걱정보다 원망이 앞섰다. 할 일이 많은데, 남편도 도움이 안 되는 것 같았다. 며칠 후, 남편이 허리디스크 판정을 받을 줄 알았다면, 그 원망의 크기는 조금 더 작아졌을까.

남편의 허리디스크 판정은 내게 완전한 독박 육아의 기회를 주었다. 육아와 살림, 업무까지 하려니 몸은 편한 곳이 없었고, 처음으로 코로나를 경험했다. 꿈을 이루기 위해 글을 쓰려는 계획도 무산될 위기에 처하고 있었다.

내 꿈을 방해하는 것만 같은 상황과 조급함이 밀려오던 중 오프라인 독서 모임에 참여하게 되었다. 모임에서 엄마의 시간은 천천히 가는 걸 인정하라는 이야기를 들었다. 모두 잘 해내고 있는 멋진 분들이라고 생각했는데, 그들도 고민이 있다고 했다.

함께 인스타를 시작했지만, 팔로워가 몇백 명씩 금방 늘어나는 사람들을 보면 조급증이 생긴다고 했다. 그뿐 아니라, 자기 분야에서 빠르게 성장하는 사람들을 보면, 아이가 원망스러워질 때도 있다고 했다. 나만 조급한 마음이 드는 게 아니구나, 나만 그런 게 아니었다는 생각이 들기 시작했다. 그렇게 찾아온 안도감은 나의 조급함을 조금씩 밀어냈다.

조급함을 밀어낼 수는 있지만, 완전히 사라지는 것은 아니었다. 어딘가에 묻어둔 조급함의 조각들이 답답함으로 응어리져 나의 마음을 무겁게 만들었다. 그러다 문득 육아가 장애물이 아닌, 나만의 무기이자 내 삶의 돋움판이 아닐까, 하는 생각이 들었다.

작년까지만 해도 새벽 자유시간을 가지려고 하면, 아이들이 열이 나거나, 같이 새벽에 일어나 나의 시간을 방해하곤 했었다. 어느 순간 엄마의 꿈이 간절해진 것을 느꼈는지 아이들이 새벽에 잘 깨지도 않고, 아픈 횟수도 현저히 줄었다. 크면서 면역력이 향상된 이유도 있겠지만, 아이들도 나를 도와주고 있었다는 생각이 들었다. 내가 인지하고 있지 못했을 뿐.

어느 날부터인가, 집에 돌아오면 집이 조금씩 깨끗해지고 있다는 느낌이 들었다. 남편이 아픈 허리를 부여잡고 청소하고 있었다. 남편도 나름대로 나를 도와주고 있었는데, 내가 남편에게 잘하는 부분만 생각하느라 내가 받은 배려는 생각하지 못하고 있었다. 이 또한 나만 인지하지 못한 건 아니었을까.

나는 모르고 있었지만, 아이들과 남편도 나를 도와주고 있었다. 가장 먼저, 우리 가족에게 집중하는 게 내 꿈을 이루는 일이라는 생각이 들었다. 〈우리 가족은 나의 장애물이 아니라, 이 세상 누구보다 나를 응원해 주는 내 인생의 동반자이자 내 삶의 무기였다.〉

엄마의 시간은 천천히 간다

이 글을 쓰고 있는 오늘은 유난히 두 아들이 번갈아 깨서 엄마를 찾고 있다. 그렇지만 괜찮다. 느리게 가고 있을 뿐, 나도 아이들도 각자의 위치에서 나아가고 있다.

엄마의 시간은 촉박하다고만 생각했는데, 느리게 갈 수밖에 없다는 걸 인정하고 나니, 한결 마음이 편해지는 것 같았다. 육아는 장애물이 아니라, 성장통이었을지도 모르겠다. 더 큰 발전을 위해 잠깐의 고통을 주는 성장통 말이다. 나는 그러한 의문을 가지는 것조차 나의 조급함 때문에 놓쳤던 것은 아니었을까.

조금씩 나의 마음이 가벼워지기 시작했을 무렵, 아이가 다니는 유치원에서 전화가 왔다.

"어머님, 엉금이가 열이 나서요."

이 전화로 인해 엄마의 일상에 돌발상황이 많았다는 것을 다시금 인지했다. 여전히 가정의 일로 인해 직장에 말하는 것은 눈치가 보이고, 다른 사람들에게 도움을 구하는 것 또한 불편하다. 내 마음이 변했다고 해서, 세상이 변하는 것은 아니었다. 성장통은 아직 진행 중이다.

그런데 짜증을 내는 횟수가 줄어든 것은, 내 생각이 변해서인 것 같다. 예전이었다면, 아이를 탓하고, 세상을 탓했을 것이다. 그런데 그렇다고 해서 변하지 않는다는 것을 알게 되었다. 그래서 내 생각을 바꿔보았다. 돌발상황이 일어났을 때, 어떻게 하면 이 상황을 좀 더 부드럽게 넘어갈 수 있을까를 생각하게 되었다.

얼마 전 토요일, 급하게 업무를 마무리해서 보내줘야 할 일이 생겼다. 주말이라 아이들은 집에 있고, 남편은 출근했다. 예전이었다면, 또 시작이라며 누군가의 탓을 하고 있었겠지만, 이제는 달라졌다.

"우리 키즈카페 가자"

아이들을 데리고 키즈카페로 달려갔다. 아이들은 열심히 놀고, 나는 열심히 업무를 진행했다. 집에 있었다면 그날 끝내지 못했을 업무를 2시간여 만에 끝내고, 남은 시간 아이들과 키즈카페에서 놀다 집으로 돌아왔다. 해결책은 내 안에 있었다. 성장통이라고, 언젠간 지나가는 일이라 생각하며 지내는 중이다.

아이들은 자라고 있고, 언젠가 우리를 떠날 것이다. 육아에만 붙잡혀 있다 보면, 아이가 떠나고 난 자리에는 아무것도 남아 있지 않을 수도 있다. 우리는 그때를 미리 준비해야 한다. 그래야 기회가 왔을 때, 그

행운을 놓치지 않을 수 있으니까.

엄마의 시간은 천천히 간다는 것을 처음엔 인정하기 싫었다. 그러다, 이게 기회일 수도 있겠다는 생각이 들었다. 육아를 탓하지 않고 우리의 완벽한 핑곗거리로 생각하면 상황이 달라질 것이다. 남들보다 천천히 가도 좋은 시기니까.

지금이 엄마의 황금기이다. 아이 엄마는 사실 특별한 걸 하지 않아도, 뭔가 새로운 시도만으로도 대단하다는 소리를 듣곤 한다. 독서만 해도 그렇다. 육아에 독서까지 한다고 하면, 대단하다는 소리를 듣곤 한다. 육아가 힘든 걸 알기에 많은 응원도 뒤따른다.

그래서 지금인 것 같다. 당신에게 카페에서의 한 시간이 필요한 시기. 육아의 지루함과 피곤함에서 잠시 한발 물러나, 꿈을 찾을 수 있는 시기가 지금이라고 생각한다.

아이가 독립할 때, 그때가 오면 나의 꿈도 이루어지고 있으리라 생각한다. 여전히 나는 육아가 쉽지 않다. 그렇지만, 어려운 육아 핑계를 대며 천천히 나아가고 있다. 〈나는 엄마로서 마흔이라는 나이를 이렇게 생각한다. 꿈이 시작되는 나이이자, 노력에 따라 꿈이 실현되는 나이라고.〉

5장

초보가 되다

나의 꿈은 초보이다

어느 농부가 사과나무를 심었다. 물도 주고, 비료도 주고, 좋은 말도 많이 해주었다. 오랜 시간 동안 가꾸던 나무는 맛있는 사과를 맺어 주었다. 농부는 자신이 키운 사과를 사람들에게 나누어주며 행복했다.

다음 해, 태풍이 휩쓸고 가 사과가 하나도 열리지 않았다. 농부는 상심하여 나무를 돌보지 않았고, 나무는 점점 말라가기 시작했다. 그다음 해엔 날씨가 매우 좋았지만, 돌보지 않은 나무에선 사과가 자라지 않았다.

어느 날 비가 내리자, 돌보지 않았던 나무에서 새싹이 돋아났다. 새싹을 본 농부는 정신이 번쩍 들어 다시 열심히 키우기 시작했다. 물도 많이 주고, 영양제도 주고, 사랑도 더 많이 주자 첫해보다 더 많은 사과가 열렸다.

우리의 삶도 이 나무와 닮았다. 빨간 사과가 주렁주렁 열리던 나의 예쁜 사과나무에, 육아라는 태풍이 몰려왔다. 비쩍 말라 볼품없어져 버린 모습에, 슬프다고 포기해야 할까? 그렇게 가꾸는 것을 그만두면, 더는 아름다운 사과를 볼 수 없게 될 것이다.

그렇지만 우리는 백설 공주도 유혹하던 멋진 사과를 품은 사과나무이다. 모습이 변해도, 사과나무가 무화과나무가 되지는 않듯 우리의 뿌리는 예쁜 사과나무이다.

사과나무를 키우는 농부에게 호두나무가 생겼다. 사과나무에만 집중하던 때보다 많은 사랑을 주지는 못한다. 그래도 조금씩 꾸준히 영양분과 사랑을 준다면, 우리 인생엔 또다시 멋진 사과가 열리리라 생각한다. 더불어, 맛있는 호두까지 얻을 것이다.

우리 인생에 매번 좋은 기회만을 만나 맛있는 열매를 만들면 좋겠지만, 때로는 태풍과 병충해를 이겨낸 열매가 더 맛있다. 아이들이 내 말을 잘 듣고 내가 하라고 하는 데로만 하면 좋겠지만, 사실 아이들이 내 말을 너무 잘 들으면, 괜히 또 미안해지곤 한다. 내가 아이에게 화를 너무 자주 냈나 돌아보게 된다.

첫째가 동생이 밀어 다쳤다며 울면서 달려왔다. 장난기가 생겨, 나도 아프다며 우는 시늉을 했다. 아이는 내 눈을 한참 바라보더니, 한마디를 던졌다.

"그런데, 엄마 눈에 눈물이 없는데?"

너무 웃겨 남편이 퇴근하자마자 이 이야기를 해주었다. 남편도 웃긴다며 동조하였다. 이렇게 귀여운 아이와 함께하는 시간은 너무 소중하다. 물론 육아는 아직도 너무 힘들고, 나는 여전히 마녀로 변하곤 한다. 이런 즐거움은 잠시이고, 힘든 시간이 10배는 되는 것 같다. 그래도 육아가 조금씩 재미있어지고 있다. 왕초보 엄마에서 초보 엄마 단계에 진입한 것 같다.

나의 꿈은 초보가 되는 것이다. 정확히 말하면, 왕초보에서 초보가 된다는 게 맞는 표현일 것이다. 왕초보에서 벗어난 엄마, 꿈을 다시 찾아가는 꿈 초보 아줌마.

왕초보는 모르는 게 많아서 오히려 두려움이 적다고 생각한다. 두려움이 가장 많을 때는 어느 정도 적당히 알고 있는 초보일 때가 아닐까. 하지만, 그만큼 설렘도, 재미도 가장 클 때라고 생각한다.

태풍이 지나가고 안정을 찾고 나면, 또 다른 태풍이 올 수도 있다. 그렇지만 그건 우리 엄마들만 겪어볼 수 있는 특혜라고 생각한다. 특혜에 휘청거렸다가도 엄마의 힘으로 일어서, 우리만의 성숙한 사과를 만들 수 있다고 생각한다. 〈나의 꿈은 초보이다. 하루하루가 설레고, 기대되는 초보이다.〉

반짝이는 모래알 하나,
그런 존재여도 나는 충분히 아름답다

by 윤슬인

목 차

프롤로그

나는 평범한 40대 엄마이다. 한 직종에서만 20년을 넘게 일해왔
고 남들보다 조금 많은, 네 번의 출산을 했으며 올해 나의 인생
마지막 육아 휴직 중인 워킹맘이다. 내가 어떤 성격의 사람인지 설
명하기 힘들지만, 참고하자면 MBTI의 결과상 ISTJ이다. 새로운 자
리에서 자기소개하는 걸 정말 힘들어하고 새로 만난 사람들 사이
에서 이야기하는 것을 극도로 어려워하는 지극히 내향적인 사람이
기도 하다. 아마 이 글을 본 지인들은 "어! 네가?" 이런 반응을 보
일지도 모른다. 그들에게 보이는 내 모습은 나를 둘러싸고 있는 사
회에서 생존을 위해 후천적으로 만들어진 발랄한 모습이기 때문
에…. 그리고 지금까지 살아온 평생 한길만을 걸어왔음에도 불구하
고, 정작 나 자신에 대해 잘 알지 못해 진정으로 하고 싶은 일이
나 "나는 누구인가?"의 답을 찾지 못한 아직은 미성숙한 어른이기

도 하다.

성격 자체가 워낙 앞에 나서는 걸 싫어하고 남에게 깊은 나의 속내를 드러내는 것을 불편해하는 성격이다 보니 내 자신의 이야기를 적어 내려가는 게 너무 힘이 들었다. 이런 성격 탓에 어릴 때는 즐거움이었던 일기 쓰기가 어른이 되어서는 큰 고역이기도 하였다. 일기를 쓰는 행위 자체가 내 자신의 바닥을 드러내는 기분이었고, 감정에 휩싸여 나 자신을 내치는 느낌이 들었기에….

그러던 어느 날, 아이들과 소아과에 가야 할 일이 있었다. 그곳은 영유아 검진 때마다 다니는 곳인데 생각해 보니 10년이 넘도록 다니고 있다. 그날도 보통의 날과 다름이 없었다. 아이들 검진 결과에 대해 이런저런 이야기를 하던 중 의사 선생님께서 가슴에 와닿는 말씀을 해 주셨다. 아이들 검진 결과를 받고 나면 매번 형식적으로 성장에 대한 멘트를 해주셨는데 이번만은 다르게 말씀하셨다.

"어머니, 아이들에 대해 기록은 하고 계시나요? 안 하고 계신다면 지금이라도 아이마다 노트 한 권씩 마련하셔서 오늘은 이 아이가 뭘 했는지, 오늘은 저 아이가 어떤 약을 먹었는지 그리고 뭘 먹고 알레르기 반응이 있었는지 어떤 반찬을 해줬더니 밥 두 공기를 뚝딱했는지 세세히 기록을 해보세요. 지금은 별거 아닌 것 같지만 그 기록이 하나하나 모여 아이의 역사가 남는 거예요. 저도 아이들 다 키워서 손주들이 있는 할아버지지만 아이들 어릴 때 기록을 볼 때마다 추억들이 생생히 기억난답니다. 오늘부터 한번 해보세요."

　기억이 선명히 남지는 않지만 대략 이런 내용이었다. 사실 나는 SNS를 좋아한다. 아이들의 세세한 기록을 SNS에 남겨두고 나의 감성포텐이 터지는 시간이 될 때 하나하나 읽어보며 추억의 시간을 갖곤 한다. 하지만 나의 사진이 얼마 없다는 걸 이제야 발견하였고, 출산 후 살이 쪘다는 이유로, 옷을 잘 챙겨 입지 않고 외출했다는 이유로, 사진을 찍는데 아이들의 모습을 챙기느라 정신이 없어서였다는 게 그 이유라는 것을 알게 되었다. 그리고 SNS의 내용들도 아이들과 가족 이야기들뿐 정작 나를 위한 기록을 남겨둔 게 없다. 내가 어느 날엔 어떤 생각을 하고 어떤 감정이며 어떤 말을 했는지 그리고 내가 얼마나 성장해 나가고 있는지에 대한 기록이 없다 보니 불안한 감정으로 나 자신이 나락으로 떨어지는 때가 왔을 때 나는 더욱 간절하게 나를 찾고 싶어졌다. 내가 누구인지, 무엇을 하고 싶은지를. 하지만 워킹맘으로서만 오래 살아왔었나? 내가 무엇을 좋아하고, 무엇을 잘하는지 잊어버린 듯했다. 그러다 보니 내가 세상에 어떤 의미를 가지고 존재하는지를 생각해내는 게 너무나 어려웠다. 하지만 나는 끊임없이 생각하고 고민했다. 그래서 이제는 나를, 나만을 생각하기로 했다. 엄마가 아닌, 직장인이 아닌, 누군가의 아내가 아닌, 바로 나 '윤슬인'에 대한 성장 이야기를 기록하고 싶어졌다. 객관적으로 봤을 때 나는 누구보다 열심히, 치열하게 산 것도 아니고, 엄청난 부를 축적해 온 노하우가 있는 것도 아니며, 눈에 보일 만큼 뛰어난 성과를 만들어 낸 것은 아니다. 그러나 육아 휴직 중인 엄마들에게 나와 같이 미세한 존재도 이렇게 성장할 수 있다는 것을 보여주고 싶다. 그리고 그들에게 희망을 주고 싶다.

이제 한 남자의 아내, 아이들의 엄마, 워킹맘으로서의 내가 아닌, 온전한 나 자신 '윤슬인'의 성장 이야기를 시작해 보려 한다.

1장

일상 이야기

언제부터 나는 무릎 나온 바지를 입기 시작했나

나는 정갈한 것을 좋아하는 사람이었다. 비록 내 방이 어지럽고 정리가 안 되어 있더라도 나의 옷은 상, 하의 밸런스가 맞아야 했고 속옷도 짝짝이로 입는 법이 없었으며 가방도 라운드형이 아닌 각이 잡힌 사각 모양을 선호하는 편이었다. 지갑 안에 카드는 앞면이 나오게 꽂혀 있어야 하고 지폐의 방향도 한 방향으로 정리가 되어 있어야 직성이 풀렸다. 짤랑거린다는 이유로 동전은 잘 만들지 않았고 내가 신은 신발은 절대 구겨 신지 않았다. 걸을 때마다 나는 소리가 너무 싫어서 슬리퍼나 크록스 신발은 절대 신지 않았다. 집안 정리 정돈이나 살림살이에 대한 애정이 없어 엉망이긴 하나 내 몸에 걸치는 거 하나는 절대 허투루 하지 않을 정도로 나의 외적인 것을 돌보는 사람이었다. 나는 그렇게 평생 살 거라고 생각했다. 그러나 내가 결혼하고, 가정을 꾸리게 되고, 네 번의 출산이 있고 난 뒤로 이러한 모든 것들이 차츰 변하기 시작하였다. 유난히 예민해서 밤잠을 잘 못 이루었던 큰아이 덕분에 나는 내 옷에 분유 자국들을 허락하기 시작했고, 수면 시간이 부족해 항상 피곤함에 절어 있었다. 하루라도 샤워하지 않으면 큰일이 날 것 같았던 나는 이틀 동안 머리를 감지 않는 것도 견디게 되는 능력 아닌 능력도 갖추게 되었다. 정갈하게 네일 케어를 받았던 손톱은 언제 자랐는지 기억도 안 날 만큼 길어져 있었고 일주일에 한 번 피부관리숍에서 지극 정성으로 관리를 받았던 내 피부는 네 번의 출산으로 거칠어진 얼굴에 주름이 깊게 패기 시작했다. 외모가 점점 변하다 보니 나는 나 자신을 아끼고, 나에 대해 생각하는 것을 점차 잊어가는 것 같았다. 멋진 엄마가 되겠다는, 내 일을 훌륭히 해내는 워킹맘이자 아내로서도 완벽하게 하겠노라는. 그리고 나의 존재를 잊지 않고 열심히 가꾸어 나가겠다는 나의 다짐은 네 번의 출산, 육아와 함께 서서히 사라져 버렸다. 그리고 나만을 바라보는 아이를 돌보는 일 외에 온전히 나를 가꾸기에 심적인 에너지가 부족하다는 것을 느끼게 되었다. 네일숍에 가서 예쁜 네일아트를 받는 것도 푸석해지는 피부를 위해 마사지를 받는 것도 그달의 경제 사정에 따라 포기해야 하는 1순위라는 것에 마음이 아프기도 하였다. 게다가 이제 나의 삶은 온전히 나의 것이 아니라 가족의 것이 되어버렸다는 사실을 깨닫게 되는 데 그리 오랜 시간이 걸리지 않았다. 나를 위해 무언가를 항상 하고 있던 모습은 사라지고 기계적으로 집안일을 하고 습관적으로 리모컨으로 킬링타임용 드라마를 찾아, 보지도 않는 티브이를 틀어놓는…. 그렇게 나는 항상 무기력하고 무표정한 얼굴로 지내고 있다.

이번이 마지막 출산이지만 크게 기대한 건 아니다. 때가 되면 수유하고, 이유식을 만들며, 아이 기저귀가 축축하다고 생각되면 기저귀를 갈아주고 자기 전에 목욕시키고 향기가 좋은 아이 로션을 발라주며 눈 맞춤을 하는 건 첫째 때나 막내인 넷째 때나 마찬가지다. 아이가 배시시 웃어주면 나도 배시시 웃어주고 내가 너의 "엄마"라고 말해주며 옹알이를 따라 하는 것…. 그냥 그게 나의 일상이다.

어느 날 아이 기저귀를 갈아주다가 내 바지에 구멍이 난 것을 보게 되었다. 그러고 보니 이 바지도 꽤 오래된 바지인 것 같다. 여기저기 실밥이 뜯어져 있고, 무릎 부분이 닳아 심하게 튀어나와 있는 상태를 보니 말이다. 아마 예전 같았으면 구멍이 날 기미가 보이면 아니 그전에 무릎이 조금 나올 기미가 보이면 바로 버리고 비슷한 디자인의 바지를 하나 구매하러 바로 나갔을 텐데…. 지금은 이 실내복 하나 신경 쓰지 못할 만큼 정신없는 삶을 살고 있다. 입고 있던 바지를 벗어 돌돌 말아 한쪽으로 치워 놓고 다른 바지를 꺼내 입으려고 보니 그 바지는 더 심각하게 무릎이 나와 있었다. 옷장 서랍 속에 있는 다른 바지도 또 다른 바지도 마찬가지였다. '왜 내 바지들은 정상인 게 하나도 없는 건가. 물건도 주인 닮아가나.' 그중 제일 멀쩡해 보이는 바지 하나를 대충 꺼내 입었지만 못마땅했다. 가까운 마트에 가서 살까 싶다가도 어린아이를 안고 나갈 기운도 없고 꼭 그래야 할 이유도 못 찾겠고 하여 하루

만에 배송이 된다는 쇼핑몰에서 비슷한 디자인의 바지들을 구매했다. 이것 또한 내 성격 탓일지도 모르겠으나 새로운 디자인의 무언가를 도전하기가 쉽지 않아 내 옷들은 거기서 거기 그 색깔이 그 색깔이었다. 이번에도 바지들을 고를 때 디자인이나 나에게 맞는 핏, 색깔들을 고려하는 건 무의미한 일이라는 생각이 들었다. 가장 무난하고, 내 눈에 익숙한 디자인이며, 고무줄이 짱짱한 집에서 입기에 가장 실용적인 디자인으로 저렴하게 구매했다. 이렇듯 나는 한 명의 아이를 낳을 때마다 내가 중요하다고 생각되는 두세 가지는 대수롭지 않게 여겼어야 했다. 그래서 언제쯤인지 모르겠으나 구멍 난 바지, 무릎 나온 바지도 어느 순간 포기하게 된 것 같았다. 어차피 아기 키우는 엄마라 특별히 신경 쓰고 나갈 일은 없을 테니. 그러면서 나의 존재도 점점 작아져서 우주의 미세먼지가 되는 게 아닌가 하는 생각이 들기도 했다. 이러한 생각을 하니 갑자기 서글퍼졌다.

아 참, 옆집 언니랑 커피 마시기로 했지

얼마 전 큰아이와 같은 학교를 보내고 있는 옆집 언니를 알게 되었다. 장녀인 나에게 "편히 언니라 불러."라고 말하며 살뜰히 챙겨주는 옆집 언니. 그동안 일하랴 집안일 하랴 아이들 케어하랴 정신없이 살던 터라 동네에 친하게 지내는, 인사 주고받는 이웃이 없었는데 이번에 생긴 거다. '언니'라는 존재가.

집 안 청소를 하다가 갑자기 생각이 났던 약속. 요 앞에 새로 카페 오픈하였는데 사은행사를 한다며 같이 가자는…. 거실을 둘러보니 대충 정리가 된 것 같고 방금 아가에게 분유를 먹였으니 4시간 정도의 시간이 생겼다. 유모차에 아이를 태우고 혹시 모를 비상사태에 대비해서 기저귀 한두 개와 물티슈, 아기 수건을 가방 안에 챙겨 그냥 무작정 나갔다. 아니 나가야 했다. 해도 해도 끝이 보이질 않는 살림들이 가득한 상황에서 얼른 벗어나고 싶을 뿐 세수를 했는지 안 했는지 옷은 갈아입었는지 안 갈아입었는지는 나에게 중요하지 않았다.

새로 오픈한 카페에 들어가니 말끔하고 정갈한 인테리어가 눈에 띄었다. 그곳은 동네 엄마들이 좋아할 만한 새 가구들과 소품들로 공간이 채워져 있었고 새로운 커피 머신에서 내리는 커피 향기로 가득 차 있었다. 어디서 한 번 들어봤을 듯한 음악 소리가 가구와 소품들로 채우지 못한 공간을 메우고 있는 듯했다. 테이블마다 여러 무리들이 앉아 담소를 나누고 있었고, 그 카페 안 무리 중 하나에 '옆집 언니'와 그 언니를 중심으로 모르는 이웃들이 더 있었다.

"와~ 윤슬이 왔다. 인사해 다들…. 이번에 새로 알게 된 동생 윤슬이야. 세상에 이 동네 10년 넘게 살면서 이제야 알게 된 거 있지?"
"안녕하세요. 윤슬입니다. 저 103동에 살아요."

세상에 이런 친근함 처음이다. 그러다 보니 이러한 관심들이 나에겐 너무나 부담이었다. 이 인사가 끝나자마자 폭포수처럼 대화가 이어졌다.

"아~ 안녕하세요. 103동이요…. 거기 내 친구가 사는데…."로 시작한 이야기는 그 친구의 남편 이야기서부터 그 집 아이들 하다못해 그 집 시댁 식구의 이야기까지 들어야 했다. 전혀 공감하지 못하는 남의 집 사생활에 나는 어색한 미소와 호응으로 대답을 대신하였다.

2장

나도 한때
하이힐을 좋아했었어

거울 앞에 서 있는 당신 누구실까요?

    한참의 수다를 떨다 보니 점심때가 되었다. 아직 일어날 생각들이 없는지 같이 앉아있는 '이웃'들은 계속 이야기를 하고 있었다. 나는 아침도 거르고 물 한 잔 못 마시고 나온 터라 빈속에 커피를 마시고 나니 술 한잔 마신 사람처럼 몽롱하였다. 잠깐 바람을 쐬고 싶었지만, 아가는 유모차에서 오늘따라 너무 곤히 깨지도 않고 낮잠을 즐기고 있기에 일어나기가 더욱 힘들었다.

    '아…. 나도 너처럼 그냥 자고 싶구나….'

    멍하니 이야기를 듣던 중 내 바로 옆에 앉아있는 이웃이 나에게 말을 걸어왔다. 잠깐 각자를 소개하는 시간에 우리 막내와 비슷한 또래의 딸을 키운다고 말했던 기억이 있었다.

"참 아이가 몇 개월이죠? 우리 아이는 돌이 지났는데 저도 딸을 키우거든요. 혹시 우리 아이가 입었던 옷 중에서 작은 옷들이 있는데 좀 드릴까요? 참 참, 이쯤 되면 장난감들도 필요하겠다. 장난감들도 좀 챙겨 드릴까요? 저 아기 옷이나 장난감 줄 때 엄청나게 생각하고, 고민하고 주거든요. 아기들이 쓸 물건이니까. 윤슬씨 오늘 처음 봤는데. 그냥 막 챙겨주고 싶은 마음이. 제 맘 알죠? 그리고 다둥이 엄마니까 더 잘 알 거 아니에요. 아기 옷이며 장난감 한철이라는 거. 돈 아깝게 사지 마시고 주변에서 이렇게 챙겨주면 알뜰살뜰 챙겨놓아요."

오늘 처음 본 이웃의 호의가 불편하지만 거절하기에는 그녀의 마음 씀씀이가 너무나 고마우면서도 신경이 쓰였다.

"네, 주시면 잘 쓸게요."
"그럼, 제가 우리 아이 어린이집 하원할 때 집에 잠깐 들를게요."

헛…. 집에 들른다고? 오늘 처음 봤는데? 직접 가져다주신다니 어쩔 도리가 없었다. 여기서 거절하는 건 예의가 아니라는 생각에 알았다고 대답하고 얼른 대화를 마무리하고 싶었다. 내 마음을 읽었을까? 그녀들은 얼른 화제를 바꿔 누군가의 집안 이야기, 학원 이야기, 각자의 남편 이야기, 시댁 식구 이야기로 시간 가는 줄 모르고 수다를 떨기 시작했다. 이야기의 끝도 보이지 않고 처음 보는 사람들 사이에서 한참을 앉아있었더니 기가 빨리고 머리가 지끈 걸렸으며 빨리 눕고 싶다는 생각 외에는 아무 생각도 들지 않았다. 아니 빨리 뭔가를 먹고 싶다는 생각밖에 들지 않았다. 너무 배가 고파서 꼬르륵 소리가 연신 났지만, 카페 안의 음악 소리에 나의 꼬르륵 소리가 묻혀 같이 있던 다른 '이웃'들에게는 들리지 않았다. 이걸 다행이라고 하나? 한편으로는 꼬르륵 소리가 들렸으면 했다. 만약 누구 하나 들었다면 "윤슬씨 배고픈가 보다. 우리 뭐 먹으러 갈까?" 하고 일어나지 않았을까? 나는 계속 이어갈 대화의 소재가 없을뿐더러 그녀들의 대화 내용이 이해되지 않고, 무의미하며 기계적인 나의 호응도 지쳐만 갔다. 이 자리에 앉아있는 자체가 너무나 힘이 들어 엉덩이도 아프고 허리도 너무 욱신거렸다. 딱히 볼일을 보고 싶다는 생각은 들지 않으나 잠깐의 환기가 필요했기에 아가는 잠시 이웃 언니의 손에 잠시 부탁드리고 화장실로 향했다. 화장실로 가는 길에 양팔을 위로 쭈욱 뻗으며 걸어갔는데 너무 시원했다. 굽은 허리가 쭈욱 펴지니 좀 살 것 같았다. 나도 모르게 내 입에서 '어구 구구.' 소리가 튀어나와 순간 당황했지만, 집에 있었으면 아마 시원하게 소리를 질렀을지도 모른다. 화장실 문을 열고 들어가서 손을 씻고 시원한 물로 눈을 비비니 정신이 번쩍 들었고 정신이 드니 내 꼬락서니가 눈에 들어오기 시작했다. 화장실 거울 앞에 비친 나. 생기라고는 하나도 없고 피곤이 찌들어 멍한 눈을 하고 있는 내가 보였다.

'아…. 늙었구나! 정말….'

멍하니 한참을 들여다보니 어색한 얼굴, 내가 아닌 것 같은 이 존재…. '당신은 누구실까요?' 거울 앞에 비친 이 여자가 정녕 나란 말인가. 오늘 입고 나온 티셔츠 위에 분유 얼룩이 가득하고 검고 풍성하던 머릿결을 자랑했던 나의 머리카락들은 한참 산후 탈모로 머리가 빠져 군데군데 비어있었다. 정수리 부분을 거울로 비춰 보니 흰머리들이 가득하였다. 이런 총체적인 난국인 머리카락들을 어떻게든 묶어 보겠다고 매달려 있는 검은 머리 끈이 너무나도 초라해 보이기까지 하였다. 거울에 비친 나의 얼굴은 정말 눈 뜨고 봐줄 수가 없었다. 총기가 사라져서 내 눈의 초점은 흐려지고, 눈 밑 다크서클이 꼭 멍든 것처럼 자리를 잡았으며, 얼마나 인상을 썼는지 눈썹 사이에 주름이 보이는 이 모습이. 진정 나란 말인가.

"윤슬씨…. 아가 울 것 같아요."

밖에서 똑똑하는 노크 소리와 함께 이웃 중 한 명이 화장실 문 밖에서 말을 건넸다. 지금이 기회다. 어서 이 공간에서 빠져나가야 한다. 더는 안되겠다는 생각이 들 때가 있다. 더는 나 자신을 나락으로 밀어버려서는 안 된다는 생각이 들 때가 있다. 바로 지금이 그때인 것 같았다. 카페에서의 의미 없는 수다, 그리고 그 무리 속에서 나는 그저 겉도는 그녀들의 수다 속 아무 의미 없는 공기와 같은 존재가 된 듯하였다. 쉴 새 없이 쏟아지는 가시 돋친 부정적인 단어들 사이에서 나는 점점 더 내가 아닌 것 같은 느낌이었다. '여긴 어디, 나는 누구?'라는 질문이 머릿속을 떠나지 않았다. 때마침 우리 아가는 나의 마음을 알았는지 카페 안이 떠나가라 울어대기 시작하였다. 안아줘도 그치질 않았고 어르고 달래도 그치질 않았다.

"아기가 불편한가 보네요. 분유 먹을 시간인가?? 이모들이 눈치 없이 엄마를 너무 오래 붙잡고 있었나 보다…."

기회는 지금이다. 아이를 달래야 할 것 같다고 이야기를 나눈 뒤 대충 인사를 하고 유모차를 끌고 카페를 나섰다.
'아가야 고마워. 너 아니었으면 엄마 배고파 쓰러질 뻔했어.'
카페 문밖을 나오자, 아가는 바로 울음을 그쳤다. 상쾌한 공기 덕분인지 지끈거렸던 머리의 통증도 배고픔도 마법처럼 사라졌다. 시간을 확인하니 아직 아기의 분유 텀이 1시간 정도 남았다. 여유가 있다. 카페에서 나오자마자 나는 집에 가는 길의 반대 방향으로 무작정 유모차의 핸들을 틀었다. 산책이란 걸 해야겠다고 마음먹었다.
무작정 걷고 또 걸었다. 신고 나온 신발 끈이 풀렸는지도 모르고 나풀나풀거리며 길거리 바닥을 쓸고 다녀도 아랑곳하지 않고 그냥 걸었다. 아이는 그새 잠이 들었다. 유모차에서 새근새근 잠든 아이를 보며 눈물이 한 번에 주르륵 흘러나오는데도 누가 보든 말든 아랑곳하지 않고 그냥 무작정 한발씩 옮겨갔다. 왜 이 타이밍에 눈물이 나왔는지 이해가 되지는 않지만 아마 이 모든 상황이 나에게는 너무 버거웠나 보다. 카페 안의 분위기도 커피도 카페 테이블도 모든 게 내 스타일이었는데 그녀들 사이에서의 대화 내내 내가 붕 떠 있었던 상황들이.

이날 이후로 나는 종종 집 안에 있기 싫거나 마음이 답답해지면 무작정 걷기를 하기 시작했다. 옆집 언니에게 커피 한잔하자는 연락이 간혹 오긴 했지만 딱히 가고 싶다는 생각이 들지 않았기에 약속이 있다는 둥 정수기 정기 점검 일이라는 둥 핑계를 대며 거절했다. 나에게 아기 옷가지들을 나눠주겠다는 이웃도 집으로 찾아오지 않았다. 오히려 잘 됐다는 생각이 들기도 하고 한편으로는 약간의 서운함이 들기도 하였다. 생각해 보니 내가 사는 아파트의 동만 이야기했지, 몇 호에 사는지는 말해주지 않았다. 그리고 연락처를 주고받지 않았으니, 나에게 연락할 길도 없었을 것이다. 그래도 괜스레 신경 쓰이는 이 기분이 그리 좋지 않았다. 다른 엄마들은 다들 이런 감정들을 가지고 사나? 이러한 특유의 예민함 때문에 내가 사람을 잘 못 사귀는 걸까?

직장에 다니던 시절은 이런 산책도 나에겐 사치였다. 집 주변을 걷는다는 건 밤에나 가능했고 그것도 나 혼자 온전히 내 생각에 빠져 걸을 기회도 나에게 있지 않았다. 걷고 있는 지금도 온전히 나 혼자가 아니긴 하다. 나의 분신인 아가와 함께니. 그래도 이 아이는 나에게 말을 걸거나 생각의 흐름을 끊어내진 않는다. 어느 날엔 유모차에서 또 어느 날엔 아기 띠에서 평화로움을 이 아기도 즐기고 있는 듯했다. 나라는 존재는 아랑곳하지 않고. 몸은 한 몸처럼 붙어 있으나 우리는 각자의 시간을 즐기고 있었다.

걷기 힘든 날에는 달큼한 낮잠에 빠진 아이의 옆에서 누워 두 눈을 감고 걷는 상상을 했다. 햇빛 찬란한 어느 날, 예쁜 가로수길을 걸으며 예전에 아끼고 아꼈던 예쁜 옷을 입고 큰맘 먹고 구입한 명품 하이힐을 신은 채, 그날의 기분 좋음을 느꼈던 그 길을 떠올렸다. 그 상상 속의 배경음악은 내가 가장 사랑하는 "베토벤의 월광 소나타". 하지만 그런 상상으로 기분을 전환하려 해도 본질적인 질문들이 나를 지배해 다시 나는 우울감에 빠지게 만들었다. 나는 누구인가, 내 존재 이유는 무엇인가, 나는 누구를 위해 존재하는 건가. 앞으로 어떻게 해야 하나. 나는 왜 유난스럽게 힘들어야하나. 그냥 평범하게 있을 수는 없는 건가. 카페에서 수다를 떨며 킬링타임을 보내는 이웃들처럼.

집에서 멍하니 시간을 보낼 때면 어김없이 나는 SNS 세상에 빠져든다. 너무나 잘살고 있는 것 같은 그들의 세상을 보며 또 나자신을 바닥으로 스스로 내쳐버린다. 한없이 부러우면서도 한없이 미운 SNS 속 그녀들을 보며 나는 또 나의 주변을 둘러싸고 있는 현실을 바라본다.

그래! 뭐라도 해보자. 하고 자리를 박차고 일어났던 때가 있었다. SNS에서 영업 당했던 책을 읽다가 뒤통수를 얻어맞은 기분이 들었던 그때…. 가벼운 마음으로 편히 읽자는 생각에 잔잔한 책 표지만 보고 구매했던 그 책. SNS속 광고를 보고 충동적으로 산 책들이 한가득인데 이번 책도 그냥 안 읽고 책장에 꽂아두었을 그 책. 무언가에 이끌리듯 한 페이지 한 페이지 읽어내니 정신이 번쩍 들었다. 나는 가만히 있을 수가 없었다.

하지만 마음만 급할 뿐 지금 당장 내가 할 수 있는 것들은 전혀 없었다. '과연 나는 누구인가?'에 대한 해답은 찾을 수가 없었지만,

마냥 있기엔 너무 시간이 아깝다는 생각이 들었다. 너무 답답하고 머리가 아파 무릎 나온 바지를 입은 채로 현관으로 걸어갔다. 순간 왜 그랬는지 모르겠으나 신발장을 열어보았다. 수많은 신발 중에서 걸을 때 또각거리는 소리가 좋았던, 나의 최고 단점이라 여기던 작은 키를 커버해 줬던 하이힐을 찾아볼 수가 없었다.

  '나도 한때 하이힐을 좋아했었어….'

  하이힐을 신고 걸을 때 또각거리는 소리를 들으면 내가 얼마나 힘차게 걷고 있는지를 느낄 수 있었다. 열등감에 빠져 있었던 내가 하이힐을 신으면 그 하이힐의 굽 높이만큼 나의 자존감이 높아지고, 또 사람들이 나를 우러러볼 것 같다는 생각에 좋아했었는데…. 그런 하이힐이 없다. 언제부터 없었는지는 기억나지 않았다. 지금 신발장에 남은 나의 신발들은 신고 벗기 편한 운동화, 집 앞에 잠깐 신고 나갈만한 슬리퍼, 격식을 갖춰야 할 곳에 적당히 분위기를 맞춰 줄 수 있는 플랫슈즈밖에 없었다. 사라진 하이힐처럼 나의 존재감, 자존감도 사라지는 기분이었다.
  갑자기 주저앉아 멍하니 있었다. 이 집에서 내가 좋아하는 것들이 사라지고 있구나. 그 무엇 하나 나를 위한 것들이 없다는 생각에 한참을 그렇게 앉아있었다. 나의 마음처럼 집안 정적은 차가웠고, 시곗바늘 소리는 내 귀에 가시처럼 느껴졌다.

나는 왜 밤잠을 이루지 못하는가?

정신없는 하루가 지났다. 큰아이들을 재우고 난 뒤 막내를 재우기 위해 침대에 몸을 뉘었다. 윙윙거리는 소리가 어디선가 들리는데 그 소리가 무언지는 모르겠다. 평상시에는 베개에 머리만 대면 곯아떨어지는데 이날은 다른 때와 달리 쉽사리 잠이 들지 못했다. 자야겠다는 강박관념 때문에 눈을 감아보지만, 정신은 더욱 또렷해졌다. 옆에 아가가 있기에 뒤척이는 것도 쉽지 않았다. 그냥 멍하게 누워있는 게 지겁기도 해서 베개 밑에 있던 휴대전화를 조심히 열었다. 유튜브를 보고, SNS를 돌아다니고, 맘카페까지 가서 글도 읽고 댓글들도 써보고…. 혹시나 작은 소리에 아가의 단잠을 깨울까 휴대전화의 볼륨을 '0'으로 설정했다. 그래도 잠이 오질 않는다. 아마 내가 술을 좋아하는 사람이라면 일어나 냉장고 안에 있는 시원한 맥주 한 캔이라도 마시겠지만, 지금은 그러고 싶지 않다. 아가가 깰세라 조용히 침대의 온기에서 빠져나와 아이들의 책상에 앉았다. 멍하니 앉아 있다 보니 하나둘씩 생각나는 것들이 있었다.

어릴 적 나의 추억들, 어릴 적 나의 장래 희망, 그리고 나의 이야기들이…. 그러다 갑자기 나의 어린 시절의 모습이 궁금해져 책장 한쪽 귀퉁이에 꽂혀 있는 앨범을 꺼내보았다. 여느 집에 있는 앨범과 마찬가지로 맨 첫 장에는 백일 사진으로 시작하여 돌사진, 유치원 졸업사진, 초등학교 졸업사진 등등으로 어릴 적 가장 큰 이벤트가 담긴 사진들이 꽂혀 있었다. 그 뒤로 내가 기억 못 하는 아가 시절의 내 사진, 그리고 누군지는 모르겠지만 집안 어르신들과 찍은 사진들, 지금은 돌아가셨지만 나를 너무나 예뻐하셨던 외할머니와 외할아버지, 젊은 시절의 부모님과 외가 식구들…. 모든 사진들에서 어른들은 나를 보고 웃고 계셨고 그런 모습들을 보니 어릴 적에 나는 참 사랑을 많이 받고 자랐다는 게 느껴졌다. 어딜 가나 예쁘다는 이야기도 많이 들었고, 어느 자리에서든 나는 빛나고 싶어서 매사 최선을 다했었다. 그랬던 내가 자라면서 세상은 내 마음대로 흘러갈 수 없다는 것을 깨닫게 되었다. 나보다 더 뛰어난 아이들이 세상에 넘쳐났었고, 내 노력으로 이루지 못하는 일들이 많다는 것도 알게 되었다. 다가오는 시련들에 실패를 겪다 보니 점점 자신감을 잃어갔고, 점점 의기소침해져가게 되었으며 모든 의욕이 사라져 결국 시간이 흘러가는 대로 나 자신을 그대로 두는 지경까지 이르렀다. 이런저런 옛 생각에 빠지다 보니 피식 웃었다가 또 한 번은 화가 났다가, 침울해졌다가 다시 웃기까지 했다. 옆에서 남편이 봤다면 잔소리했을지 모르겠지만 그냥 아이들 걱정, 집안 걱정이 아닌 내 추억에 빠져 있었던 그 시간들이 나는 너무나 좋았다. 비록 그 추억들이 좋은 추억들이 아닐지라도 오롯이 나만의 생각했기에.

　며칠을 밤의 사색 타임을 즐겼는지 모르겠다. 오직 나만 생각했던 그 시간 동안 어린 시절을 떠올리고 학창 시절을 추억하고 사회생활을 되돌아보았다. 살아온 시간들 중에서 남들과 비교할 만큼의 특별한 시간들을 보내지는 않았지만, 어린 시절 내가 입에 달고 다녔던 내 삶의 목표들이 떠올랐다. "나는 문예 창작학과에 진학해서 글을 쓰는 사람이 되고 싶어요.", "동네 서점 사장님이 되어서 내가 읽고 싶은 책 용돈 걱정 없이 읽고 싶어요.", "나는 엄마처럼 파자마만 입고 집에 있지 않을 거예요. 반드시 나는 내 일을 멋지게 해내는 강남 여자가 되고 싶어요." 지금 생각하면 참 세상 잘 모르는 순진한 아이였다는 생각이 들었지만 그래도 나름의 멋진 꿈들을 꾸고 살았던 것은 확실했다. 하지만 지금 나의 모습은 어릴 적 내가 꿈꾸던 모습과 거리가 멀다 못해 예전에 저런 생각을 가졌던 아이가 맞나 싶을 정도로 망가져 있다.

3장

답이 없는 질문의
무한 굴레

꼬리에 꼬리를 무는 질문들

　이런 무의미한 밤의 사색 타임을 즐기던 어느 날, 나 자신에게 하나씩 질문이란 걸 하게 되었다. 그 질문에 대한 답도 내가 해야 하는 정답이 없는 질문들…. 육아 휴직 중이기에 이 시기에 또 뭔가를 해내야 한다는 압박감이 들었다고 해야 하나? 실은 얼마 남지 않은 육아 휴직 동안 나는 다른 일을 찾아야겠다고 생각을 했다. 매번 출산과 육아 휴직 동안 다른 일을 찾아야지 했다가 실패해 본업으로 돌아갔지만, 이번만은 그러고 싶지 않았다. 이번 휴직하는 동안에는 내가 하고 싶은 일 또는 늦은 나이에 자아실현을 해야겠다는 의무감이 든 생각을 했기에…. 본업으로 돌아가는 건 내 삶을 송두리째 쓰레기통에 처박아 넣는 것과 같았다.

'그러기에 더 간절히 더 절실히 답을 찾아내야 한다. 한 번뿐인 내 인생 그냥 시간이 흐르는 데로 나를 맡길 수는 없다. 모든 문제에는 답이 있듯이 지금 내가 나 자신에게 던지는 문제에 해결점을 내놔야 한다. 이게 나란 존재의 의미이다…. 답을 찾자. 해결점을 내놓아 보자. 내가 진정으로 하고 싶은 게 무엇인지….'

육아 휴직 중인 엄마들은 대부분 나와 같은 생각을 할 것이다. 아이들을 어린 나이에 어린이집에 맡기면서 느끼는 죄책감, 아이가 아파 열이 펄펄 끓는데도 기관에 보내야 하는 엄마의 아픈 마음, 가정 보육을 할 때마다 직장 상사와 가족들의 눈치라는 것을 봐야 하는 엄마들은 이런 가슴 아픔을 뒤로 한 채 복직한다. 하지만 모든 육아가 어려움과 눈치로 가득한 엄마들에게 진정으로 묻고 싶은 질문이 있다.

"혹시 이 불편함을 감내할 만큼 가슴 뛰는 일을 하고 계시나요?"

나는 복직을 생각하면 가슴이 뛰었다. 설레어서 뛰는 게 아니라 너무 갑갑해서 뛰는 것이다. 또 나는 누군가의 눈치를 보며 끌어올렸던 나의 자존감이 낮아지는 것을 지켜봐야 한다. '사무실 책상 앞에 앉아서 풀리지 않은 일거리들을 지켜보며 머리를 쥐어뜯어야 하는 상황들이 벌어지겠지. 이런저런 상담 전화에 받기도 전에 불안해하며 어서 전화가 끊기기를 바라는 나의 모습에 또 한심해하겠지. 피곤함에 지쳐서 쓰러지고 싶은데 챙겨야 하는 아이들 걱정에 이러지도 못하고 저러지도 못하고 발만 동동 그루겠지. 이제 좀 찾나 하는 집안의 정갈함은 사라지도 또 너저분한 삶으로 돌아가겠지. 밀려드는 시댁의 경조사는 어떻게 해야 하나, 나는 맏며느리인데….'

이런 생각들이 꼬리에 꼬리를 물어가니 잠이 오질 않는 건 당연하다. 나는 어서 답을 찾아야 한다. 가까운 이유로는 잠을 자지 못해 무너진 내 일상을 찾기 위해 먼 이유로는 복직을 하기 싫기 때문에. 그리고 이대로 시간 보내듯이 살아가기 싫기 때문에….

나는 우선 아이들의 책을 빌리기 위해 자주 갔었던 도서관에 가기 위해 집을 나섰다. 거리가 좀 이따 보니 운전을 하고 가야 하지만 아랑곳하지 않았다. 지금의 격양된 나의 감정과 생각들을 정리하면서 가기에 딱 좋은 거리이기 때문이다. 아기 띠를 하고 도서관 안으로 들어가 무작정 열람실 문을 열었다. 그리고 문 앞에서 멍하니 책들이 꽂혀 있는 공간을 바라보았다. 너무 오랫동안 책을 보지 않았던 탓에 어디에서 무슨 책을 골라야 할지 잘 몰랐다. 한참을 서 있다 보니 열람실 안에 사서께서 다가오려는 인기척을 느꼈다. 혹시나 말을 걸어오지 않을까 하는 걱정에 얼른 신간 도서란으로 걸어갔다. 제목도, 책 안의 내용도 확인하지 않고 제일 깨끗하고 제일 새것처럼 보이는 책을 2권 정도 빌렸다(지금 생각해 보니 그때 빌린 책들은 주부들을 위한 자기 계발서였다). 그리고 집으로 돌아와 아이를 재우고 나서, 빌려왔던 책을 읽기 시작했다. '오롯이 집중해야 한다.' 책을 읽는 동안 내 머릿속을 정리해 나갔다. 나는 내가 진정 원하는 것이 무엇인지에 대해 생각했다. 그리고 나는 내 삶을 변화시키기 위한 계획들을 세웠다. 그 계획들을 세우는 것도 쉽지 않았지만 신중하게 생각하고 또 생각했다. 그리고 한 줄 한 줄 나의 다짐이 가득한 문장들로 채워나갔다.

제일 맨 윗줄에는 "나를 사랑하자. 툭 튀어나온 나의 뱃살마저도, 눈가의 주름들도, 희끗희끗한 나의 흰머리들도 있는, 자연스럽게 늙어감을 사랑하자."라는 문장으로 시작하여 몇 가지의 계획과 다짐들을 써 내려갔다.

대체로 육아 휴직 중인 엄마들은 귀가 얇다. 경제생활을 했던 터라 직장 생활에 지쳐 가더라도 매달 월급 통장에 찍히는 월급을 보며 자신의 가치를 평가 당해왔기에 전쟁과 같은 일터에 나가 열심히 일을 했을 것이다. 삶의 포커스가 직장과 육아, 집안일로 나뉘어 각각의 포지션에서 열심히 살아왔기 때문에, 출산하고 육아 휴직을 하게 되면 이러한 포지션에서 벗어나 오롯이 엄마로서의 시간을 부담스러워한다. 매달 입금이 되어왔던 월급도 사라지고 지금까지 경제생활을 통해 유지해 왔던 자신의 정체성마저 사라져가는 느낌에 무기력함까지 느껴진다. 그러다 보니 자존감도 낮아지고 직장 생활과 육아에 치여 자신이 무엇을 해야 하는지도 모른 채 삶을 살다가 오로지 아가만을 바라보는 시간이 닥치게 되면 의도치 않은 여유 시간에 적잖은 당황을 한다. 그래서 여기저기서 밀려 들어오는 정보들이 세상의 진리처럼 느껴진다. 내가 그랬다. 그 정보에 대해 알아볼 생각도 없이 꼭 성경책에 있는 성경 구절처럼 그냥 다 맹신하게 되었다. 왠지 내 인생을 송두리째 바꿔줄 것 같은 느낌이 들기도 했다. 그런 정보를 들고 다가온 가까운 지인들 중 누군가는 재무 설계사가 답이라 한다, 누군가는 다단계가 답이라 한다. 누군가는 방문판매가 답이라고 한다. 모두 다 경제적 자유를 누렸다고 나에게 자신 있게 말했다. 그리고 진심으로 나를 도와주고 싶다며 자기 손을 잡아보라 이야기하기도 했다. 멋들어진 차를 몰고 다니고 화려하게 꾸미며 다니는 그들을 보면 정말 나도 그들과 같아질 수 있을 거란 착각이 들기도 하였다. 하지만 그들은 시간이 지나면 모두 그 일을 하고 있진 않았다. 그리고 나에게 또 말한다. 그게 진정 자신이 하고 싶었던 일이 아니었다고. 또 다른 일을 찾고 있다고. 세 번의 육아 휴직 동안 겪은 일이다. 그래서 보험 시험을 보기도 했고, 공인중개사를 준비한 적이 있으며, 사업 설명회, 쿠킹 클래스를 쫓아다니기도 했다. 하지만 내 인생에 있어서 마지막이 될 이번 육아 휴직은 그리 보내고 싶지 않았다. 아무 생각 없이 무리 지어 다니며 시간을 낭비하고 싶지 않았다. 무언가 이루어 내고 싶다는 생각이 강해서랄까? 아니면 더 이상 나에게 아무도 접근하지 않아서일까? 진정 가슴이 뛰는 무언가를 하고 싶다는, 아니 찾아내야 한다는 다짐하는 데 오롯이 집중할 수 있었다.

보통 사춘기가 되면 자기 정체성에 대해 고민한다고 하던데 나는 나이 40대 중반이 이런 고민을 한다는 자체가 약간 우습기도 했지만, 지금의 사춘기 아이들만큼이나 아니 그 이상 진지하다.

저기 보이는 빛은 무엇이지?

나는 기억을 잘 못하는 편이다. 아니 무척이나 기억력이 좋았는데 점차 점차 기억을 잘 못하게 되었다. 아마 뇌의 용량이 다른 이들보다 적다 보니 내가 꼭 기억해야 하는 일만 기억하고 그 외의 일은 의도적으로 삭제를 하는 것 같다. 그런 내가 어릴 적 추억들을 기억해 내는 건 그리 쉬운 일은 아니었다. 그래도 하나하나 기억을 더듬어 보면 어릴 적에 글짓기 대회가 꽤 많이 있었던 것 같다. 글짓기 대회를 나가면 책받침과 로고가 적힌 연필을 주는데 나는 그 아이템을 참으로 좋아했다. 습관적으로 글짓기 대회를 나가서 소소하게 상도 받아왔고 선생님들에게 글을 잘 쓴다고 꽤나 칭찬을 들었던 것 같다. (아마 나만의 착각일 수도 있지만) 그때는 일기도 참 정성 들여쓰기도 하였다. 우선 선생님께 잘 보여야 한다는 강박관념도 있었지만, 식구가 아닌 누군가가 나의 하루에 코멘트를 달아주고 그 코멘트에 답변하기도 하고. 이러한 과정들이 너무나도 좋았다. 나라는 아이가 누군가에게 관심을 받는 소중한 존재구나 하는 생각이 들기도 하였다. 그런 소소한 추억들이 지금 생각해 보면 너무나도 값진 것들이었다. 나름대로 글을 쓰는 행위가 나의 묵은 감정들을 쏟아내어 가는 일종의 나의 감정 쓰레기통 역할을 했었기에 힘들었던 학창 생활을 이겨낼 수 있었던 원동력이었다. 그리고 나는 책을 좋아했던 아이였다. 집에 있던 책들을 죄다 읽어버려서 옆집에 사는 친구의 책들도 빌려 봤었다. 그때 아마 그 친구보다 내가 그 집 책들을 빨리 다 읽지 않았을까? 그래서 그 친구의 미움을 사기도 했다. 의도치 않았지만, 그 친구의 엄마께서 책을 많이 읽는 나를 너무나 칭찬하셨기 때문이었다. 방학 때 학원이 끝나고 집에 가는 길에 동네 서점에 들르곤 했다. 버스 종점에 있던 작은 서점인데 그 서점은 문제집, 참고서보다는 소설, 에세이 등을 많이 구비해 놓은 곳이었다. 그리고 서점 입구에 있는 스피커에서는 그때 당시 유행했던 대중가요나 팝 음악을 들을 수 있었다. 나는 항상 학원 교재들을 사러 그 서점을 들르곤 했는데 그곳에 내가 너무나도 읽고 싶은 책들이 들어왔다는 사장님의 말씀에 바로 그 책들을 들고 귀퉁이에 자리를 잡고 앉아 시간 가는 줄 모르고 읽었다. 그 뒤로도 자주 그 서점에 가서 사장님과 간단한 눈인사 후에 몇 시간 동안 보고 싶은 책들을 내 마음에 내 눈에 담아냈다. 그곳은 용돈이 궁한 사춘기 소녀에게는 너무나 멋진 곳이었다. 어느 날에는 그런 내가 너무 안타까워 보였는지 사장님께서 작은 의자를 마련해 주셨다. 방학 내내 출석부 도장 찍듯 다녔던 그 서점. 사장님께는 정말 죄송했지만, 나는 그곳에서 무상으로 책을 읽는 단골이 되어버렸다. 그러다 보니 사장님께서는 반품을 해야 하는 책들이 있으면 내가 읽기에 적당한 책을 몇 권씩 챙겨주셨다. 대학 시절은 너무 천국이었다. 도서관은 지금껏 다닌 서점들보다 수천수만 배 컸다. 읽을 책들도 많았고 보고 싶던 책들은 검색만 하면 찾아서 읽을 수 있었다. 점심시간에 밥 먹는 시간이 아까워 빵과 커피를 사 들고 열람실로 뛰어가 제일 구석진 자리에서 책을 읽었다. 지금 생각하면 강의실에 있던 시간보다 도서관에서 책을 읽던 시간이 훨씬 더 많았던 것 같다. 대학을 졸업하고 성인이 되어서도 마음이 심란하거나 복잡할 때, 그 당시 남자친구와 헤어지고 난 뒤, 직장 상사에게 깨져 너무나 울고 싶을 때, 친한 친구와 한바탕 싸우고 난 후 나는 시내 지하에 있는 서점으로 달려가 남의 시선을 아랑곳하지 않고 서점 바닥에 철퍼덕 앉아 손에 잡히는 데로 읽기도 하였다. 혹시나 손때가 묻을까 책이 구겨질까, 조심히 한 페이지 한 페이지 넘기며 장르 불문하고 닥치는 대로 읽어 내려가다 보면 복잡했던 마음도 가라앉아서 해결해야 하는 상황들을 좀 더 이성적으로 헤쳐 나갔었다.

그러던 중 큰아이에게 선물했던 책들이 떠올랐다. 데일 카네기의 "자기 계발론"과 "인간관계론". 어릴 적에, 아마도 지금 우리 첫째 아이의 나이였을 때 친정아버지께서 선물해 주셨던 것 같다. 표지는 훨씬 세련되어졌지만, 내용은 여전히 강렬하게 남아 있었다. 그 시절의 나를 떠올리며 한 줄 한 줄 읽어 내려갔다. 감정적이었던 상황들이 조금씩 이성적으로 정리되기 시작했다. 하지만 중학생 때 읽은 느낌과 지금의 느낌은 완전히 달라졌다. 그때는 책으로 잔소리를 듣는 것 같은 귀찮은 내용들이었지만, 40대가 되어 다시 읽으니 주옥같은 메시지들이 가득했다. 한 줄 한 줄 곱씹어 가며 읽어가니 해야 할 일과 앞으로 나아가야 할 일, 살아가는 데 피해야 할 일들에 대한 구분이 명확해졌다.

　사람들의 삶도 그러한 것 같았다. 삶의 본질은 변하지 않지만 나 자신이 변화함에 따라 매분, 매시간마다 느끼는 감정들은 다르다는 것을 깨달았다. 또한 나를 반드시 세워줄 수 있는 '등대'와 같은 존재가 하나는 있어야 한다는 것도 알게 되었다. 반항심이 가득한 시절에는 나의 모든 상황들이, 책 속의 보물과 같은 문장들이 나를 짓눌러버린다는 생각이 들었고, 사회에 나와 일을 하며 지쳐 힘들고, 나의 무능력으로 인해 나 자신이 미워질 때 매 순간이 지옥과 같이 느껴져 책을 들 수조차 없어 문장을 머릿속에 넣는 행위까지도 받아들이기 힘들었다. 그러다 문득 깨달았다. 나 자신을 세워준 존재가 바로 "책"이라는 것을…. 불안한 감정과 아픈 마음들을 다독여 주는 행위가 바로 "읽는다"라는 것을…. 이렇게 내가 좋아하는 것들을, 사랑했던 것들을, 그리고 추구했던 것들을 찾아가며 느낀 것들이 나를 더욱 풍요롭게 만들어 주고 있다. 그리고 점차 생각이 정리되며 하나하나 나에 대해 깨닫기 시작했다.

　"그래, 나 그런 사람이었어. 글을 쓰는 것을 좋아하고 책을 읽으며 나를 찾아가는…."

4장

생각 해보자

조언이 필요해 확신이 필요해

그동안의 생각들 퍼즐을 맞춰 나가며 결론이 나기 시작했다. 하지만 이 결론들이 내게 확신을 주지는 못했다. 누군가에게 응원을 받고 싶었을까? 하지만 이런 속내를 남편에게는 절대 말하고 싶지 않았다. 자존심일 수도 있고 보통의 남편들은 아내의 이런 생각들을 이해를 못 하거나 귀찮아하는 것 같았다. 우리 집 가장도 그러하다. 바깥일에 치여 집에 들어오면 편히 쉬고 싶을 수도 있겠거니 하고 이해하려 해도 괜히 이야기 꺼냈다간 속상한 상황이 벌어질 수 있으니….

가족들에게 이야기하기엔 너무나 낯간지러운 나의 고민들이기에 그냥 마음속으로 끙끙 앓아 대던 어느 날 타이밍에 맞춰 옆집 언니에게 연락이 왔다. 그동안 몇 번의 만남을 거절해 왔던 터라 언니가 불편했을 거란 생각이 들었지만, 이번은 만나서 제삼자의 이야기를 들어봐야겠다.

"전에 보니 카페가 불편해 보이던데. 우리 집으로 올래? 아가도 있으니, 집이 편할 것 같아서…."

'이 언니 눈치가 보통이 아닌데.' 분유 텀이 애매하다 보니 집에서 젖병과 여분의 분유를 챙기고 보온병에 따뜻한 분유 물을 담고 두세 개의 기저귀를 챙겨서 옆집으로 향했다. 같은 평수이고 같은 구조지만 우리 집과는 전혀 다른 분위기였다. 우리 집보다 훨씬 단정하고 깔끔했다. 채광도 우리 집보다 더 밝은 것 같았다. 화려한 듯 화려하지 않은 꾸민 듯 안 꾸민 듯 분위기가 맘에 들었다. 그간 언니를 향한 불편함도 집안 분위기에 취해 녹아내려 갔다.
　그동안의 안부를 전하고 언니의 소소한 이웃 이야기도 들었다. 누구 엄마가 말이지…. 누구 엄마가 그랬는데…. 라는 이야기를 듣는데…. 난 그 누구라는 존재들이 기억나질 않았다. 내 표정을 읽어낸 언니는

"아…. 그때, 네 옆에 앉아있었던. 엄마 말이야…. 그때 아가 옷 준단 엄마 말이야. 참, 그 엄마 아가 옷가지들은 줬어? 뭐어. 안 줬다고? 그 엄마 원래 그러니까 그런가 보다 해. 어이구 처음 본 엄마한테 실수했네. 내가 전화 한번 해야겠다."

그날 있었던 이웃들의 소식에 대해 한참 동안 듣고 난 후에야 우리의 이야기를 할 수 있었다. 나는 내 고민을 들어줄 사람이 필요했는데 이 언니가 그런 존재인 것 같다라는 생각에 마음이 편해졌다.

"실은 요즘 고민이 있었어요. 복직이 곧인데 복직을 해야 하는 이유를 못 찾겠어요. 이번에 복직을 하면 싫든 좋든 퇴직까지는 직장 생활을 해야 하는데 생각을 해보면 지금 하는 일이 내가 진심으로 하고 싶은 일이 아니거든요. 어릴 적 내가 하고 싶어했던 장래 희망 속에 지금 하는 일은 없어요. 그래서인지 요즘 내가 누구인가? 내가 진정하고 싶은 일이 무엇인가? 의 고민을 하고 있거든요. 그러다 보니 내가 나 자신을 잘 모르더라고요. 어릴 적 내가 좋아하던 일이 무엇이었을까 떠올리는 것도 힘이 들고. 이제 겨우 내가 좋아했던 것들을 찾았는데 이게 정답인지는 잘…."

나는 쉴 새 없이 이야기를 했다. 아마 언니는 이런 내 모습이 어색했을 것이다. 문 앞에서 만나면 간단한 인사와 대화만 오갔을 뿐, 내가 말이 없고 수줍음 많은 이웃 동생이라고 생각했을 언니에게 내가 한 번에 이렇게 많은 이야기를 쏟아냈으니 얼마나 당황스러웠을까. 큰 반응을 기대하지는 않았다. 그냥 위로나 응원의 말을 해주기를 바라고 있었지만, 돌아오는 대답은….

"아직도 사춘기 소녀야? 왜 그래…. 우리 나이에…. 그냥 사는 거지 뭐. 나도 이렇게 살림만 하는 엄마가 될 줄 알았나? 그냥 현실에 불편하지 않을 정도만 누리고 살면 되지. 거창한 걸 바래⋯. 윤슬이도 아이가 넷이잖아. 앞으로 들어갈 돈도 많은데 무슨 자아 찾기야. 그냥 그러려니 하고 적당히 육아 휴직 즐기다 복직해."

너무 큰 기대를 했을까? 적어도 나는 나의 이야기를 나만큼은 아니어도 진정성 있게 들어주리라 생각을 하고 큰맘 먹고 남이라는 존재에 내 속내를 꺼내보았는데⋯. 뒤통수를 세게 한 대 아니 두 세대 맞은 기분이었다. 꼭 '네 현실을 직시해 봐. 네 고민은 그냥 어처구니없는 사춘기 아이의 푸념 같다고.'라는 말을 강속구로 던져주는 기분이었다. 적어도 '언니'라면, 나를 짧은 시간이지만 살뜰히 챙긴 언니라면, 힘든 일이 있으면 언제나 말하라던 '언니'라면 그렇게 말하면 안 되는 거 아닌가? 그냥 적당히 육아 휴직 즐기다 복직하라니⋯. 응원을 못 해줄망정 현실에 안주하라니. 순식간에 서운함이 물밀듯이 몰려왔다. 표정에 드러내면 안 된다고 그 짧은 순간 동안 마음속으로 나 자신에게 수없이 이야기를 해댔지만 내 표정에 너무나 적나라하게 드러났을까? 언니는 약간의 눈치를 보며 나의 반응을 살피기 시작했다.

"내 말이 서운했다면 미안⋯. 하지만 우리 나이에 무슨 꿈을 꾸겠어. 그냥 내 생각이 그렇다고. 그리고 솔직히 말해 우리가 살면 얼마나 살겠어. 안 그래? "
"괜찮아요. 언니."

이 대화를 끝으로 나의 진로 상담은 허무하게 마무리가 되었다. 내어준 차와 쿠키가 정말 맛있었지만, 오롯이 이야기에 집중을 할 수가 없었다. 현실에 안주하라는 말에 충격을 받은 터라…. 그 뒤로 나눈 이야기는 전혀 내 귀에 들어오지 않았다. 또 나는 내 인생에 대해 유난을 떨었나 싶기도 했고 무엇 하나 편하지 않은 분위기였다. 하지만 지금 상황은 1:1. 전처럼 피할 구멍이 보이지 않았다. 적당히 이 대화에 있다가 집에 가야겠다. 시간을 확인하니 아가 분유 텀이 되었다. 게다가 아가는 얼굴을 잔뜩 찌푸린 채 나에게 배고픔의 신호를 보내고 있었다.

"언니. 아가 분유 시간이에요. 분유를 챙겨왔는데 가지고 온 물이 식은 것 같기도 해서 집에 가야겠어요."
"응. 그럼, 집에 갔다 와. 우리 점심은 시켜 먹을까?"
"헛! 점심은 다음 기회에…. 장 봐야 할 것도 있고 빨래도 건조기에 넣어야 해서요. 다음에 우리 집에서 차 한잔해요. 참 그때는 제가 점심도 쏠게요."
"그래. 꼭 쏘기다!!"

나는 언니가 불편해할까 봐 최대한 아무렇지 않은 듯 과장되게 이야기를 했다. 내가 우리 집으로 누군가를 초대한 것은 큰 용기를 내야 할 일인데 그냥 이 언니에게는 우리 집에서 대접을 한번 해주고 싶었다. 설령 오늘 서운했을지라도 처음으로 사귄 "이웃"이기에….

집에 오자마자 분유를 먹였다. 오늘따라 배시시 웃어가며 자신의 끼니를 채우는 아가가 나의 이런 서운함을 잊게 만들었다. '그래 나도 웃을게. 아가.'

나의 생각을 공유하고 싶었다. 내가 지금 잘하고 있는지 확인받고 싶었다. 하지만 가까운 지인들이나 가족들에게는 공유하고 싶지 않다. 익명의 제삼자가 필요하다. '그래! 맘카페가 있었지….'

지역 맘카페 몇 개에 가입이 되어 있지만 그중 멤버 수가 가장 많은 맘카페에 글을 써 시작했다. 옆집 언니에게 했던 말 그대로 최대한 예의를 갖추며. 글을 다 써 내려가고 등록을 누른 뒤 나는 댓글 알람을 기다렸다. 글을 올린 지 5분도 안 되었는데 댓글이 달리기 시작했다.

"사회복지사 2급 과정이 곧 마감되어요. 제2의 직업은 사회복지사가 최고죠. 앞으로 수요가 많아질 거예요. 챗드릴께요."

"아이 케어도 할 수 있는 직업이 있어요. 그리고 아이들 교육도 함께 할 수 있는 직업이에요. ## 학습지 선생님 도전해 보시겠어요? 연락처 남겨요."

"저도 고민이에요. 하지만 할 수 있는 게 없는 것 같고 하고 싶은 의욕도 없네요."

"곧 복직이라 부럽네요. 저는 복직할 수 있는 직장이 없습니다…. 복에 겨운 글이네요. 부럽습니다."

"고민이 많으시겠어요. 응원합니다."

등등…. 기대했던 댓글들은 거의 없었다. 누구 하나 내 마음을 알아주는 이 한 명 없다는 생각에 마음이 착잡해져갔다. 순간 이러한 현실을 받아들이며 세상에 순응해야 하는 생각이 들자 갑자기 마음이 요동치기 시작하였다. 그리고 잠시 잊고 있었던 우울감이 슬슬 다가오는 게 느껴졌다.

내 손에 들려있는 이것은 무엇?

    고민의 시간을 갖는 동안 나는 내 손에서 스마트폰을 내려놓은 적이 없었다. 내 질문들에 대한 답을 찾기 위해 검색의 시간이 내 자유 시간의 대부분을 차지했기 때문이다. 내 육아 정보의 80%를 차지했던 맘 카페는 더 이상 나에게 정답을 찾아줄 수 있는 공간이 아니다. SNS를 계속하다가는 정갈한 살림과 여유로워 보이는 그녀들의 보이는 삶에 주눅이 들것 같았다.

    어느 날 밤 그날도 어김없이 SNS를 뒤적이고 있었다. 나 자신을 들었다 놨다 하는 SNS. 그런데 내 눈에 보이는 게시물 하나…!! 북 크리에이터를 모집한다는 게시물이었다. 북 크리에이터? 그게 뭔가 하고 그분의 SNS에 들어가 게시물들을 하나하나 읽어 내려가게 되었다. 그분의 피드에는 책을 읽고 그 책의 독후감 같은 글들이 많이 있었다. 팔로워 수도 부러울 만큼 많았고 정갈한 책 사진들 그리고 정감 있는 그분의 글들이 너무나 가슴에 와닿았다. 평상시 같았으면 엄청나게 고민에 고민하고 결정했을 건데 이번에는 1초의 망설임도 없이 수업을 신청하고 바로 결제했다. 북 크리에이터 수업은 딱 나를 위한 수업이었다. 육아 중인 엄마들을 위한 밤시간의 줌 수업. 그리고 어떻게 해야 할지 모르는 초보자들을 위한 세세한 설명. 무작정 책을 읽는 게 아니라 책을 고르는 법, 읽는 법 그리고 더 나아가 협업과 공구하는 방법까지. 나는 너무나 간절했기에 나는 어린아이를 업고 수업을 들었다. 내가 알지 못하는 SNS 세계에 대한 정보들로 인해 나는 적지 않은 충격을 받았다. 그리고 책을 많이 읽으신 분들이 모여 수업을 받다 보니 각 참여자마다의 집중력이 대단하였다. 그중 가장 기억에 남는 멘트 하나!

"누리세요. 온라인 공간에서 초기 투자 없이 부담 없이 시작할 수 있어요. 그리고 책을 읽음으로써 나를 성장시킬 수 있으며, 더 나아가 경제적인 이득도 취할 수 있는.. 이 모든 것들을 누리세요."

항상 무언가를 시작해 볼까 하고 행동하려 하면 경제적인 부분이 가장 마음에 걸렸다. 거창하게 무언가를 시작하려는 것은 아니었지만 초기 투자 부분은 나에게 큰 부담이기 때문이다. 그 일이 100% 성공할 가능성이 없고 혹시 망하기라도 하면 그 부분에 대한 정신적, 육체적, 경제적 타격을 이겨낼 자신이 없었기 때문이다. 그런데 투자 없이 내가 좋아하는 책을 읽기만 하고 내 생각을 공유하면 된다니…. 이리 매력적인 일이 어디 있겠나 싶었다. 그 수업 이후 바로 나는 행동에 옮기진 않았으나 무언가를 시작한다면 나는 전문적으로 "책을 읽고 글을 쓰는 사람"이 되고 싶다는 희망을 품게 되었다.

북 크리에이터 과정이 끝나고 나는 내 책장을 정리하기 시작하였다. 읽고 싶은 책, 사진을 찍으면 예쁘게 나올만한 책, 최근 구입한 책, 그리고 내가 바이블이라고 여기는 책들을 골라내었다. 그리고 한 권씩, 한 권씩 나만의 속도로 읽어갔다. 아가도 내 마음을 알았을까? 아니면 새로 시작하는 엄마의 일을 응원하는 것이었을까? 책을 읽을 시간만큼은 자주었기 때문에, 밤늦게까지 책을 읽어 내려가지 않아도 되었다. 이제 내 손에는 킬링타임용 스마트폰 대신 책을 잡고 있기 시작했다.

책을 읽다 보니 처음에는 책에 있는 문장들이 잘 읽히지 않았다. 항상 주변인들에게 네 번의 출산 덕분에 뇌가 손톱만 해졌다란 이야기를 하곤 했는데 진심 이 말이 맞나 싶었다. 한 페이지 읽으면 이해가 되지 않은 부분이 많았고, 하루가 지나면 기억이 나지 않는 부분이 대부분이었다. 너무 답답하던 터에 북 크리에이터 수업 때 "밀리의 서재"라는 앱을 소개받은 기억이 났다. 책을 휴대전화나 태블릿PC로 볼 수 있고 읽어주는 기능도 있어서 언제 어디서나 독서를 할 수 있다는 이 신박한 앱. 바로 내 휴대전화와 태블릿PC에 앱을 설치하고 바로 이용하기 시작하였다. 아가와 함께

하는 시간, 운전하는 시간, 짬짬이 났던 자투리 시간에 '읽어주기'의 기능을 사용하니 조금씩 뇌가 활성화되는 것 같았다. 잦은 출산으로 생겼던 난독증이 조금이나마 해결이 되는 기분도 들었다. 책을 읽고 나서 나는 나름대로의 책에 대한 소감을 노트에 정리하기 시작하였다. 아직 남에게 내 생각을 나눈다는 게 약간은 챙피함이 있기 때문이랄까? 쉽게 내 글을 올리지 못하고 있었다. 그리고 SNS를 사용하고 있으나 지인들이 많았기 때문에 나의 글을 더 오픈할 수가 없었다. 나만의 특유의 소심함과 부끄러움 때문에... 그래서 소심히 부계정을 하나 만들고 아주 심플하게 관리하기로 마음을 먹었다. 그렇게 나의 첫 부캐가 탄생하였다.

Yoonseul_library란 이름으로..

5장

여기는 산티아고의
순례길

무엇이든 마음 먹기 나름

첫 부캐 계정에 책을 읽고 나의 정리된 독후감을 올리기 시작했다. 그러다 보니 탄력을 받아 1일 1책을 읽게 되었고 성실히 그 책에 대한 나의 의견을 남겼다. 물론 엄청나신 분들에 비하면 나는 삐약이 정도의 수준이지만 무언가를 시작했다는 생각에 하루하루 설렘이 쌓여갔다. '그래 딱 10권만 읽고 피드를 남겨보자. 그리고 출판사 서평단에 도전을 해보자!'

북 크리에이터과정 수업을 진행해 주신 선생님께서 강요한 것도 아니고 꼭 그렇게 해야만 한다고 주변에서 이야기해 준게 아니라 그냥 내 의지대로 행동해 가기 시작하였다. 초기 투자금도 없고 오롯이 집에 있는 내 책들을 읽고 생각을 공유하는 것, 그리고 내 본명이 아닌 그동안 마음속에 품고 있던 필명을 쓰다 보니 적당히 그 필명 뒤에 숨어서 글을 쓰니 부담스럽지도 않았다. 사진 찍는 기술도 없는 내가 항상 수유등 아래에서 찍은 볼품없는 책 사진들만 SNS에 올려도 너무 신이 났다.

예전 같았으면 이런저런 걱정에 시작도 안 해봤을 텐데 이 10권의 책을 읽고 그 책에 대한 게시물로 나는 첫 서평단에 당첨이 되었다. 그것도 이름을 말하면 알 정도 유명한 출판사의 서평단!!! 내 첫 목표를 이뤄냈다. 타이밍 좋게 북 크리에이터 수업을 통해 나는 지금 당장 무엇을 할 수 있고 그 무엇을 해야 할 이유를 알게 되었다. 그리고 조금이나마 SNS라는 공간을 누릴 수 있는 준비를 할 수 있게 되었다. 아주 작은 목표를 이루니 말로 표현할 수 없을 만큼의 기쁨을 맛볼 수 있었고, 나 자신을 바라보며 조금씩 마음의 안정이 생기기 시작하였다. 그리고 가장 가까운 내 주변을 둘러볼 여유가 생겼다. 항상 무언가가 불만이 가득했던 나는 가장 소중하게 여겼어야 할 나의 가족들을 내 감정의 쓰레기통으로 여겨왔었다. 하지만 이 작은 목표 실현으로 말미암아 우리 가족을 다시 바라볼 수 있는 여유를 갖게 되었다. 그리고 우리 가족 한 명 한 명이 너무나도 소중하고 또 소중하게 느껴졌다.

어느 날 가족 모두가 거실에서 TV를 보고 있었다. 그전에는 복작복작한 거실이 좁다며 투덜거리며 제발 더 넓은 집으로 이사 가자고 했을 텐데 그날은 이런 복작거림이 너무나 좋았다. 그리고 가족의 얼굴을 하나하나 세세히 보게 되었다. 세상 성격 좋고 책임감이 강하며 가정적인 남편이 있고, 우리나라에 전쟁이 일어나지 않는 이유가 세상 무서운 중2 때문이라는 우스갯소리의 주인공인 중2 큰아이, 그 아이는 아직도 가족끼리 여행을 가자고 하면 따라나서며 스스로 자신에게 주어진 일을 묵묵히 해내는 그런 아이이다. 동생들을 너무나 예뻐하고 학교에서도 성실함

1등이라며 담임선생님들의 칭찬이 가득한 5학년 둘째 아이, 우리 집안에 애교를 담당하고 우리 가족의 분위기 메이커인 5살 셋째 아이 그리고 이제 막 세상에 태어나 새로운 것들을 눈에 가득 담아 놓으려 이리저리 기어다니는 넷째 아이. 이렇게나 너무나 사랑스러운 우리 가족이 있다. 하지만 이렇게 생각하기까지 우여곡절이 있었고 나의 부정적인 생각들과 남들과의 비교로 사랑스러운 나의 가족들에게 많은 상처를 주었었다.

모든 일은 생각하기 나름이라 했던가. 어릴 적 친정아버지께서 내게 강조하셨던 "일체유심조"라는 말이 이제야 마음에 와닿다니. 내가 생각을 바꾸고 마음을 달리 먹으니 가장 가까운 우리 가족들이 더욱 애틋하고 사랑스럽게 여겨졌다. 그러다 보니 내 태도도 조금씩 바뀌기 시작했다. 그렇다. 모든 게 내가 문제였던 것이다.

어느 날 산티아고의 순례길에 대한 다큐멘터리를 보게 되었다. 사람들은 처음에 자신이 필요하다고 생각되는 짐들을 가득 배낭에 담아 걷기 시작한다. 추울까 봐 옷도 따뜻하게 입고 그 머나먼 길을 묵묵히 걸어 내고 있었다. 하지만 하루가 지나고 이틀이 지나 자신들의 짐이 무겁다는 생각이 들 때쯤 자신의 짐 중에서 지금 당장 필요치 않은 것들을 정리하기 시작한다. 하다못해 몸을 따뜻하게 감싸던 외투도 필요가 없다면. 순례길을 걷다 보면 힘든 순간이 나오는데 그때는 동키 서비스를 받으면 된다. 요령을 피울 생각으로 자신이 지름길이라고 생각이 되는 길을 걸으면 더 힘든 길이 되어 그날 순례자의 길은 더더욱 피곤해진다. 그러니 순례자들은 힘들어 보이지만 정도만을 묵묵히 걷는다. 목적지에 다다르면 자신의 몸에는 최소한의 옷가지가 남고 짐 또한 필요한 것들만 남게 된다. 그리고 순례자의 길에서 얻은 교훈을 가슴에 품고 일상으로 돌아간다. 그 일상은 또 다른 순례자의 길일 수도 있다.

나는 이 순례길이 우리네 인생과 크게 다를 게 없다는 생각이 들었다. 자신의 주변을 욕심으로 채우다 보면 그 욕심에 걸려 넘어지기 마련. 몸과 마음의 욕심을 버리고 자신이 필요하고 간절히 바라는 것에만 집중하게 되면 내가 목표라 생각되는 그 길의 끝에 찬란한 빛이 기다리고 있을 것이다. 하지만 인생을 살다 보면 힘들고 어려운 상황이 벌어지기 마련이다. 이때는 내 인생의 동키 서비스를 받으면 된다. 가족의 힘을 빌리면 되고, 내 인생의 선생님의 힘을 빌려 인생의 해답을 찾는 도움을 받으면 된다. 지금 내가 시작하게 된 "책을 읽고 글 쓰는 사람"이라는 직업에서도 마찬가지다. 내가 꼭 필요한 부분이 있다면 그곳에 집중하면 된다. 두 주먹 불끈 쥐고. 그러다 견딜 수 없을 만큼 너무 힘이 들면 인생의 동키 서비스를 받자.

생각이 바뀌니 내가 하고 있는 그리고 다시 돌아갈 본업에 대해 생각하지 않을 수 없었다. 지금 상황에서는 내가 복직하는 게 답이다. 하지만 나는 복직을 하는 게 부담스럽다. 가장 어린아이의 육아도 그렇고 다른 집보다 아이가 많다 보니 신경 쓸 일이 한두 가지가 아니기 때문이다. 그렇다고 이제 시작한 나의 일에 올인 하기에는 경제적인 부담이 크다. 1년을 넘게 남편에게 우리 가족의 경제를 책임지게 하는 게 마음이 불편하기도 하였다 . 우선 나는 나의 직장에 파트타임으로 일할 수 있는지 알아봤다. 최소한의 출근 시간으로 내게 쏠 여분의 시간을 늘리고 싶기 때문이다. 다행히 나는 3시간 정도의 근무 시간을 확보할 수 있었고 막내의 어린이집도 쉽게 해결이 되었다. 왠지 일이 술술 풀리는 기분이다.

나도 작고 반짝이 무언가가 되고 싶어

1월이 되면 나는 복직을 하게 된다. 아니 직장 사정에 따라 더 일찍 복직을 하게 될지도 모른다. 막내는 아마 12시부터 4시 정도 어린이집에 있을 것이고, 다른 아이들도 자신의 스케줄대로 각자 생활할 것이다. 항상 그래왔던 것처럼. 복직을 한 것 같지만 복직이 아닌 것 같은. 하지만 나에게 이전의 직장 생활할 때보다는 더 많은 시간이 생기지 않을까? 사실 너무나 설레고 있다. 나의 새로운 삶에 대해서 얼마나 찬란한 미래가 펼쳐질지.

다른 일을 생각할 때는 항상 외적으로 화려한 결과물을 기대했던 것 같다. 좀 더 좋은 집으로의 이사, 좋은 차를 구매하는 것, 예쁜 전원주택 등…. 그러다 보니 소소한 성취감에 대한 즐거움을 생각하지 못하였고, 그런 성취감이 모여 나를 성장시킬 수 있는 원

동력을 만들어 낼 거라고는 상상하지 못했다. 하지만 요즘 작은 성취감 하나하나에 감동하고, 본업 이외에 다른 일을 할 수 있다는 용기와 기대감이 나를 바로 세우고 있는 것 같다. 그리고 육아 휴직 중에 내가 잘한 일 -엄마로서가 아닌 한 사람이 이루어 낸- 한두 개 정도는 어디에서 자랑스럽게 이야기할 수 있을 자신감도 생겼다.

　세 번의 육아 휴직 동안 나는 내 인생에 있어서 늦은 사춘기를 보냈다고 생각한다. 그 기간 동안은 많은 방황과 고민을 하였다. 그리고 나를 성숙시키기 위한 방법을 찾기 위해 노력을 했다. 그러나 미성숙했던 예전의 휴직기간에 그런 방법을 찾기엔 역부족이었다. 찾는 방법 또한 누가 알려주지 않았기에 흐르는 시간에 무의미하게 나를 흘려보냈었다. 하지만 이번 내 인생의 마지막 네 번째의 육아 휴직은 달랐다. 무의미하게 시간을 보내기엔 남은 내 인생이 너무나도 안타까웠다. 아이의 성적에 따라 나의 레벨이 결정되고 남편의 연봉에 따라 나의 경제력이 좌우되는 이 상황들 속에서 진정한 "나"가 없다는 사실이 너무나 슬프기까지 하였다. 그렇기에 더 간절히 "나"를 찾으려 노력을 하였고, 그 노력의 결과가 나 자신을 성숙시킬 수 있는 방법이 나에게는 "독서"라는 걸 깨달았다. 의미 있는 시간을 찾기 위해 나는 더욱 간절히 책을 읽었고, 읽음의 행위 끝에는 나의 소소한 결실도 존재하게 되었다.

　나는 책을 읽고 글을 쓰는 활동을 통해, 내 마음의 다이어트를 하였다. 부질없는 욕심과 불필요한 생각을 서서히 버리게 되었고, 나를 사랑하는 마음과 나를 더욱더 아껴주고자 하는 생각들로 가득 채워 넣으려 애쓰고 있다. 그러다 보니 내 주변 사람들과 가족에 대한 애정과 사랑이 점점 자라게 되어 내 삶에 대한 태도와 목표의 재설정을 하였다. 그리고 나에게는 버겁게 느껴졌던 복직과 육아라는 두 가지 토끼를 잡기 위해 나 자신을 단련시키고 있다. 또한 이제 시작하게 된 나의 꿈에 대해서도 진지하게 시작하게 되었다. 글을 쓰는 사람으로서... 책을 읽는 사람으로서..

젊은 시절, 우리는 각자의 아름다운 큰 원석이었을 것이다. 그러나 그 원석은 모진 비바람과 파도에 휩쓸려 작게 잘려 나가고 쪼개지게 된다. 이러한 과정을 거치면서 작아진 우리는 마치 사막 위의 작은 모래와 같은 존재로 변해간다. 그렇게 작아진 모래알 중에 어떤 것은 작고 소중한 빛을 가진 채로 반짝일 것이고, 또 어떤 것은 모래로서의 존재감만을 지니게 될 것이다. 혹은 어떤 것은 바람에 휩쓸려 공중에 사라져 버릴지도 모른다.

나는 작고 반짝이는 무언가가 되고 싶다. 그것이 다이아몬드와 같은 크고 화려한 보석이 아니더라도, 유독 반짝이는 모래알 하나가 되어 어디에 떨어져도 나만의 존재감을 내 보일 수 있는 그런 존재가 되고 싶다. 이 작은 존재가 어디에서든 자신만의 빛을 발하며 주변을 따스하게 비춰 나가길 희망한다.

앞으로의 성장이 기대되는 나, "윤슬인". 나에게 주어진 빛을 간직한 채로 세상으로 한 발짝 더 용기 있게 나아가려 한다. 이 작은 빛이 큰 꿈을 밝혀내듯, 나만의 길을 찾아 나아가고자 한다. 이 작은 모래알이 햇빛에 반짝이며 빛날 수 있도록, 나는 노력하고 성장해 나가기를 다짐한다.

꿈꾸는 나, 성장하는 엄마

by 송승연

목 차

프롤로그

'아이가 행복하길 바란다면
스스로 먼저 행복하도록 노력해야 한다'[1]

전업주부로의 삶은 솔직히 권태롭고 짜증스러웠음을 고백한다. 행복을 꿈꾸며 결혼하고 아이를 낳았지만, 현실은 늘 한숨이었다. 냉장고 문을 열고 한숨, 장난감을 늘어놓은 거실에 한숨, 남편에게 하소연이라도 하면 더 크게 들려오는 한숨.

내 삶의 중심은 오로지 아이였지만, 넘치는 교육 정보와 주변 엄마들의 말에 늘 흔들리는 엄마였다. 사회가 정한 기준에 맞춰 엄마와 아내로 꾸역꾸역 살아내려 노력했지만, 정작 아이에게는 따뜻하

---

1) 박혜란, 다시 아이를 키운다면, 나무를 심는 사람들, 2013, 148쪽

지 못했던 날들이었다.

엄마가 행복해야 아이가 행복하다는 말이 늘 불편하게 들렸다. 아이에게 쏟을 시간적 경제적 여유가 없지 않았음에도 나는 왜 늘 조급하고, 불안했을까.

내가 이 책을 쓰게 된 것은 전업주부로 10년을 보낸 지금에야 '행복'과 가까워지는 방법을 알았기 때문이다. 예전의 나처럼 무기력한 전업주부의 삶을 살고 있다면 나의 이야기가 조금이나마 위로와 용기가 되어드릴 수 있지 않을까.

비결은 '독서', '운동' 그리고 '글쓰기'로 만나게 된 꿈이다.

뻔한 얘기로 들리겠지만, 나는 정말 책을 통해 30년이 넘도록 몰랐던 세계를 알게 되었다.

아이 책으로 가득했던 책장에 내 책이 하나, 둘 꽂히기 시작한 건 3년 전부터다. 부끄럽지만, 그 전까지는 인생을 통틀어 완독한 책이 10권 남짓이다. 그랬던 내가 책과 처음 친해진 계기는 책 읽는 동네 언니를 따라 하면서부터였다. 책 사진과 서평 글을 SNS에 올리는 언니가 좀 있어 보였다. 나도 언니 같은 엄마가 되고 싶었던 것 같다. 아이를 닦달하지 않는 엄마 말이다. 그렇게 한두 권 읽어나가면서 SNS에 책 읽는 티를 내며 허세도 부리기 시작했다.

독서의 시작은 어설펐지만, 읽다 보니 돌처럼 굳어있던 마음이 조금씩 몰랑해져 갔다. 뿌옇던 마음이 작가들의 문장력에 힘입어 선명해지는 기분을 느꼈다.

베스트셀러 작가 박완서는 40세에 등단한 전업주부였고, 세계적인 화가 모지스는 76세의 나이에 그림 그리기를 시작했다. '이런 삶도 있단다.', '이렇게 행복해질 수도 있어.'라는 메시지가 계속 나를 자극했다.

당시 나의 자존감은 사회에서 승승장구하는 친구들과 비교하며 끝없이 추락하고 있었다. 만족스럽지 못한 살림과 육아에 매달리며 늘 자책하던 나를 끌어올려 준 것도 책이었다.

'나도 뭔가를 시작해 볼 수 있지 않을까.'

고민하다 보니, 맘속 깊숙이 묻어 두었던 하고 싶었던 일 들이 하나, 둘 떠올랐다. 꿈이 생기기 시작한 것이다.

그렇게 떠오른 꿈의 불씨들이 타닥타닥 움트기 시작했다. 책은 내 열정이 식지 않도록 무제한 공급되는 땔감이 되어주었다. 내 안에 불씨가 생기니 나의 짜증으로 냉랭했던 우리 집에도 온기가 돌기 시작했다.

마음에 묻어 두었던 꿈 중 하나는 '운동치'에서 벗어나는 것이었다. 평생을 마른 비만과 운동 무능력자로 살아온지라 바디 프로필은 흉내조차 낼 수 없는 영역이라 생각했다. 설사 찍는다 쳐도 그 모습은 철없고, 주책스러워 보일 것이라 단정했다.

이런 내가 마음을 먹고, 6개월 동안 운동하고, 식단을 지켜냈다. 내 인생 최초 11자 복근도 가지게 되었다. 민망함을 무릅쓰고 사진도 찍고야 말았고, 약간의 수정작업을 거친 내 모습은 연예인이 따로 없었다.

땀 흘린 만큼의 보상은 사진 몇 장이 아니었다. 나는 점점 생기발랄한 엄마가 되어가고 있었다. 단단해진 엄마 배를 신기해하는 아이들과 깔깔대며 운동했다.

물론 지금은 배가 조금 두둑해지긴 했지만, 체력은 남았다. 기운이 넘쳐 뭐든 해낼 수 있을 것 같았다. 책이 땔감이라면, 체력은 부채였다.

내 열정의 불씨를 체력이 마구 부쳐대니 꺼질 틈이 없었다.

그 기세로 나는 오로지 내가 좋아하고, 잘 할 수 있는 것을 찾으려 애썼다. 금방 떠오르지 않았다. 다른 길을 가보려고도 했지만, 결국 책으로 돌아왔다.

읽고 기록하다 보니 어렴풋이 내 글이 쓰고 싶어지는 순간이 있었다. 꿈이라 하기에는 흐리멍덩한 상상에 가까웠다. 상상이 이루어지기도 하는구나! 그 벅찬 설레임을 거의 처음 느껴보는 요즘이다. 작가가 될 기회를 얻고 당장은 기뻤지만, 나에게 과한 행운 아닐까 의심스러웠다. 글짓기상 한번 받아본 적 없는 내가 책이라니…. 이내 마음을 다잡았다. '나 복근도 만든 아줌마야.' 못할 이유는 없었다.

참 신기하다. 책에서 시작된 나의 불씨는 꿈을 향해 계속 나아가게 했다. 만만치 않은 에너지였다. 큰돈을 번 것도 아니고, 유명해진 것도 아니지만, 나는 리즈 몸매를 갱신했고, 곧 작가가 된다. 작년까지만 해도 상상만 하던 일들이다.

여전히 나는 살림과 육아를 하는 평범한 주부지만, 더는 내가 사회에서 아무런 역할도 할 수 없는 경력단절 여성이라 선 긋지 않는다. 온갖 감정이 널뛰었던 10년의 전업주부 경력 덕분에 작가라는 꿈도 꿀 수 있었다. 이제야 잊고 살았던 나도 보이기 시작했다. 아이를 온전히 사랑하는 법도 알았다. 가정에서도 사회에서도 나는 충분히 가치 있는 존재라는 믿음도 확고해졌다.

이게 다 지독한 결혼생활을 겪게 해준 남편과 치열한 육아를 맛보게 해준 나의 사랑스러운 아이들 덕분일 테지. 20대보다 건강하고, 30대보다 발랄한 지금의 내가 있게 해준 그대들에게 나의 사랑과 감사를 전한다.

1장

흔들리는 엄마

무너지는 감정코칭

나는 그럭저럭 살 만한 전업주부다. 시부모님의 은덕으로 집 걱정, 대출 걱정 없이 아이를 보내고 싶은 학원에 보낼 수 있고, 먹고 싶은 음식을 큰 고민 없이 사 먹는다. 당시 나의 무기력함과 짜증은 결코 경제적인 결핍에서 시작된 것이 아님을 밝혀둔다.

아이를 낳고, 나의 뇌는 온통 아이로 가득 찼다. 천진한 아이의 웃음과 매 순간의 몸짓을 사진으로 담으려는 욕심에 핸드폰 용량은 늘 경고였다. 아이가 앓기라도 하면 그 모습이 애처로워 조금이라도 아픔을 털어낼 방법을 검색하며 곁을 지켰다.

마음은 이러한데, 자꾸만 걸러지지 않는 가시 같은 말들로 아이를 힘들게 하는 날들이 늘어만 갔다.

아이들이 6살, 3살이던 2019년 어느 날.

아침은 그야말로 늘 전쟁이다. 아이는 6살일 뿐이고, 나는 지나치게 조급했다. 유치원 버스가 먼저 도착해 모두가 우리를 기다리게 하는 민폐를 끼치기 싫었다. 둘째까지 데리고, 허겁지겁 뛰는 일도 하고 싶지 않았다.

아이가 밥을 먹다가 한마디만 해도 나는 말을 자른다.

"빨리빨리 좀 먹어."

그러다 결국 폭발한다.

"팔 걷고 이 닦으랬지!!"

이를 닦다가 아이의 팔이 흠뻑 젖어 버린 것이다. 벌써 몇 번째 같은 일이 벌어졌지만, 먼저 소매를 걷는 법이 없는 아이. 속에서 천불이 난다.

"몇 번을 말해? 팔 안 걷어?"

나는 거칠게 아이 옷을 벗기고, 종종거리며 새 옷을 꺼내 아이에게 던진다.

"너 때문에 또 늦게 생겼잖아! "

입으로는 큰 아이를 다그치면서 손으로는 작은 아이 옷을 입힌다. 3살짜리 아이도 엄마 눈치를 살피며 기꺼이 내가 입혀주는 옷에 몸을 맞춘다. 단 1초도 낭비할 수 없는 지금, 여전히 눈물만 떨군 채 움직이지 않는 큰 아이가 답답하기만 하다.

"네가 뭘 잘했다고 울어?"

괜찮다고, 미안하다고 두 마디만 하면 되었을 것을…. 콕 집어 아이 탓을 해야 직성이 풀리던 때였다.

겨우겨우 옷을 챙겨입고, 현관문을 나서기까지 내 입에서는 계속 한숨이 새어 나온다. 한 번에 신겨지지 않는 신발, 신발을 신고 났더니 안 챙겨 나온 등원 가방. 무엇하나 순조롭게 진행되는 일이 없는 아침이다. 또 늦을 수도 있다는 생각에 심장이 뛰고, 불안하다. 엘리베이터를 기다리면서도 아이에 대한 원망을 쉼 없이 쏟아낸다.

"좀 빨리 준비해 줄 수 없니?", "너 때문에 맨날 늦잖아!."

다행히 버스는 아직이다. '휴….' 나는 안도의 한숨을 내쉬었지만, 아이는 반발했다. "뭐야, 안 늦었잖아!!" 아이의 억울함에는 대꾸할 힘도, 의욕도 없다. 멍하니 핸드폰만 쳐다볼 뿐.

"잘 가, 사랑(가명)아 ~."

아이를 몰아붙였던 몇 분 전 일에 대한 미안함에 등원 버스에 오르는 아이에게 밝게 인사하고는 재빨리 작은 아이를 데리고 단지 안 어린이집으로 발걸음을 옮긴다.

드디어 두 녀석 다 등원 성공. 집에 돌아와 어지러운 집을 보니 또 한숨이 나온다. 아까 벗어놓은 아이의 젖은 옷이 눈에 들어온다. 조금

전 훌쩍였던 아이의 모습이 이제야 한없이 애처롭고 미안하게 느껴진다. 나의 다그침으로 헝클어졌을 아이의 마음과 눈물이 구겨지고 젖은 옷에 그대로 드러나 있다. '금쪽같은 내 새끼'를 보면서 반성한게 어젯밤인데, 하루도 못 버틴 내가 한심스럽기만 하다.

나는 아이를 목숨보다 사랑함이 분명한데, 왜 아이에게 따뜻하지 못할까. 아이에게 필터 없이 화를 쏟아낸 날이면 늘 자책을 지나 불안을 건너 우울에 빠졌다.

이런 감정에 빠져 있을 때면 나는 혼자 우수에 젖어 습관적으로 지나간 선택들을 하나하나 꺼내 순서대로 후회했다. 결혼하지 말았어야 했어. 회사를 그만두지 말았어야 했어. 일이라도 했으면 나는 그래도 송대리 정도는 되지 않았을까. 힘들었을지언정 더 나은 사람으로 존재하지 않았을까.

뛰어나지는 못했지만, 열심히 공부했고, 배웠고, 성장하던 나였다. 환하던 그때의 나는 지금 어디로 갔을까. 후회, 불안, 분노, 우울, 짜증, 슬픔, 자책, 무력감. 멈추고 싶어도 멈춰지지 않는 감정이었다.

내 감정도 마음대로 안 되는데 어떻게 아이의 감정을 헤아리고 매만져주는 감정코칭이 가능하단 말인가. 늘 좋은 엄마이기를 노력했지만, 한순간에 무너지는 것이 문제였다.

밝은 엄마 vs 마녀 엄마

밖에 나가 친구 엄마들을 만나면 나는 밝은 엄마다. 유치원 반 모임은 키즈카페에서 자주 이루어졌다. 아이가 가장 행복한 시간이라 포기할 수 없는 모임이다. 모임에 빠지지 않는 것으로 좋은 엄마가 되고 싶기도 하다.

열심히 뛰어노는 아이들을 눈으로 체크 하면서 엄마들은 옹기종기 테이블에 모여 앉아 별로 안 웃긴 얘기에도 빵빵 웃음을 터뜨리고, 떠든다. 대화의 흐름은 늘 학원 얘기로 수렴된다. 곧 7살을 앞둔 큰 아이. 엄마들은 7살을 '교육의 황금기'로 여긴다. 드디어 투자한 만큼 아웃풋이 눈에 보이는 시기이기 때문이다. 좋은 학원을 찾아 보내는 일이 당시 우리의 가장 중대한 임무였다.

"00 학원, 대기 걸었어? 00이 거기 다니면서부터 시를 그렇게 잘 쓴
대. 글짓기 실력이 엄청 늘었어! 심지어 재미있어한대."

영어유치원에 다니는 아이라 상대적으로 한글이 신경 쓰이던 참이었
다. 그런데, 시라고? 7살 아이가? 그 학원에 다니면 내년에는 시를 한
편 멋들어지게 쓸 수 있는 아이가 되는 건가! 나는 얼른 그 학원 정보를
핸드폰에 입력한다.

"00 미술학원에 다니는 00은 그림을 엄청 잘 그려서 전공을 시켜 보
면 어떻겠냐고 제의도 받았대. 선생님 스펙이 장난 아닌 것 같더라."

"오, 그래??"

'우리 아이도 그림 하나는 잘 그리는 것 같은데, 좋은 선생님을 빨리
만나게 해줘야겠어. 당장 내일 전화 걸어봐야겠다.' 나는 속으로 생각한
다.

이미 그런 학원에 다니는 아이들과 벌써 격차가 벌어진다는 생각에
조급해진다. 나의 부족한 정보력 때문에 우리 아이가 손해를 보게 할 수
는 없다. 그렇게 몇몇 뛰어난 아이들이 다니는 학원 정보들을 수집하고,
우리는 장장 4시간 (기본 2시간, 추가 2시간)의 키카 (키즈카페) 타임을
마무리했다.

4시간 동안 엄마들 이야기에 적절하게 반응하면서 온갖 교육 정보에
혼란을 겪고 나면 에너지가 고갈된다. 이런 피곤함은 늘 짜증을 유발했
다.

차 안에서도 흥이 가라앉지 않은 아이들의 장난이 성가셔서 "조용히 해!"라고 소리치고 만다. 아까의 밝은 모습은 어디로 가고…. 그때 분출한 나의 분노는 한 분야에라도 뛰어난 아이로 키워내지 못하는 엄마로서 무능함에 대한 자책도 있었다.

이 생각의 근원은 너무 평범하게 자라온 나의 자격지심과 나를 그렇게 내버려 둔 엄마에 대한 원망일지도 몰랐다. (물론 지금은 그 내버려둠에 감사함을 느끼기도 한다.) 교육열이 꽤 높았던 동네에서 자랐지만, 엄마는 친구 엄마들과는 달리 교육에 큰 관심이 없었다. '어릴 때 한가지라도 배웠더라면….' 이라는 아쉬움은 결혼을 하면서 엄마에 대한 원망으로 번졌다. 안다. '친정엄마'가 딸의 살림과 육아를 꼭 도와야 하는 의무는 없다는 것을. 그래도 그렇지 도움은커녕 안부조차 묻는 일이 없는 엄마가 야속했다.

나는 나의 사랑하는 딸이 내가 엄마에게 느끼는 감정을 느끼게 하고 싶지 않았다. 매일 연약했던 엄마처럼 보이기는 더 싫었다. 아이에게 적시에 필요한 교육을 제공함은 물론, 아이의 모든 것에 관심을 두는 엄마가 되고 싶었다. (관심과 간섭은 한 끗 차이였음에도) '엄마 그때 왜 나를 내버려 뒀어요.'라는 원망을 듣고 싶지 않았다.

이런 다짐은 나를 더 조급하게 했다. 아이를 보지 못하고 내 욕구로만 빚어낸 다짐이었음을 그땐 알지 못했다.

주변 얘기를 듣고 오는 날이면 벌써 우리 아이는 늦은 것 같다는 불안함과 죄책감이 나를 짓이겼다. 뭉개진 마음으로 아이의 몸을 씻기는 동안, 나는 또 영락없는 마녀 엄마가 되었다.

목욕을 시키면서 움직이는 아이 머리를 잡고 당기면서 "똑바로 좀
서!"라고 소리친다. 놀란 아이는 울지도 못하고, 내 눈치를 본다. 그렇게
눈치를 보는 모습은 나를 더 화나게 한다. 다른 아이들은 야무지게 자기
할 말도 잘 하고, 똑부러지는데, 왜 우리 아이는 매번 쭈뼛쭈뼛 눈치만
보고, 겁을 먹을까. 나는 결국 아이에게 분노를 쏟아내고 만다. 내가 얼
마나 무섭게 아이를 대하고 있는지는 자각하지 못한 채 아이를 비교하기
급급했다.

그렇게 화를 쏟아냈는데도, 잠자리에 누우면 내 가슴을 파고드는 아
이. 마녀 엄마도 엄마라고, 이런 엄마가 뭐가 좋다고, 아이는 나를 조건
없이 사랑해준다. 두 아이가 그렇게 나에게 달려들면 "빨리 자." "이제부
터 말하지 마."라고 또 으름장을 놓는다.

겨우 잠든 아이의 얼굴을 보고서야 너무 연약해서 나의 분노를 막아
내지 못하고, 고스란히 받아낸 아이에게 미안해진다. 이 작은 아이는 대
체 나를 얼마나 사랑하기에 나의 마녀 같은 모습을 보고도 내 품을 파
고들 수 있는 건지. 이렇게 약한 내 아이에게 내가 지금 무슨 짓을 하는
건지. 내가 정상이 아닌 것 같다는 생각에 괴롭다.

밖에서는 잘도 웃고 떠드는데, 왜 목숨보다 사랑하는 아이들 앞에서는
마녀의 모습을 하게 되는 걸까. 이웃 엄마들에게 화를 쏟아냈던 내 얘기
를 하면 대부분 놀라워했다.

"사랑이 엄마도 그래? 너무 순하고, 착할 것 같은데, 상상이 안 가."

내가 정말 인격장애라도 앓고 있는 걸까. 그 날 나는 육아 유튜브 대
신 나에게 대입시켜 볼만한 정신적 질환들에 대해 검색했다. 차라리 나

에게 변명할 만한 질병이 있기를 바라면서….

　나는 누구보다도 행복해지고 싶었다. 이제 와 후회할 자격이 없는 것도 알았다. 전업주부의 행복은 굉장히 쉬워 보였다. 그깟 집안일, 매일 회사에 출퇴근하며 소처럼 일할 때 보다는 낫겠지. 육아? 나보다 소중한 존재를 사랑하는 일이 뭐가 어려울까. 원하던 임신이 늦어질 때는 아이만 생기면 걱정 없을 줄 알았다. 유모차를 끌고 다니는 신혼부부의 모습이 가장 부러울 때였으니.

　그렇게 꿈꾸던 일이 현실이 된 지금 왜 행복하지 않을까. 엄마가 행복해야 아이도 행복하다는 말이 늘 나를 더 불안하게 했다. 늘 아이들에게 미안했다.

2장

단단해지는 나

육아의 이유

2020년, 코로나19라는 이름 아래 시작된 아이들과 나의 감옥 생활은 이제껏 나도 직면해 보지 못한 또 다른 나의 악함을 확인하는 나날이었다. 매일매일 노력했지만, 매일매일 무너졌다.

주변 아이들과 엄마들은 모두 집에 있는 시간을 부족한 과목의 보충 시간으로 잘 활용하고 있는 것 같았다. 바지런하지 못한 나 때문에 우리 아이만 뒤처지는 것 같았고, 죄책감과 불안감에 늘 심장이 빠르게 뛰었다. 그렇게 뛰던 심장이 터질 것 같을 때마다 나는 폭발했다. 아이가 잠든 시간 심장이 잠잠해지면 나의 못남을 반성하고, 사죄하고, 혐오했다.

그 무렵부터 SNS를 하면서 그래도 행복했던 순간들, 기억하고 싶은 순간들을 매일이 그런 것처럼 공유하기 시작했다. 다른 사람들의 일상에 공감도 질투도 시기도 하면서 어영부영 시간을 보냈다. 그런데 유독 눈에 들어오는 피드가 있었으니, 워킹맘으로 바쁘게 지내면서도 늘 책 리뷰를 올리는 언니의 책 사진과 글이었다. 그때까지만 해도 책은 나에게 필요할 때 정보를 주는 도구일 뿐이었다. 자기개발서나 육아서 정도만 겨우 읽었고, 나아지지 않는 현실에 무력감만 느껴져 그것마저 멀리하고 있었다.

그런데 피드 속 언니는 책을 통과한 삶을 꾸며내지 않고 드러내고 있었다. 이해와 사랑과 따뜻함이 있었다. 그 언니는 아이 교육에 대한 불안이 전혀 없어 보이는 언니로 내가 속한 엄마들 부류와는 달랐다.

그런 언니를 만나면 교육에 대한 내 정보력을 과시하고, 은연중에 아이를 그렇게 놔두면 안 된다는 의견을 내비치기도 했다. 그때의 나는 내 불안감에 공감을 얻거나 그 불안을 전이시키고 싶었던 것 같다. 하지만 언니는 내 말을 경청하면서도 흔들림이 없었다. 단단한 언니의 모습이 슬쩍 부러웠다.

비결은 책인듯했다. 생각해보니 나도 마음속 깊이 책을 동경하는 마음이 있었다. 읽지는 않아도 책을 사고, 도서관에 가는 것을 좋아했던 때가 있었다. 그래, 나도 읽어보자. 그렇게 나는 엄마가 되고, 아이를 낳고는 처음으로 육아서가 아닌 내가 읽고 싶은 책을 읽기 시작했다.

그때 나는 '알쓸신잡' 속 김영하 작가를 동경하고 있던 터라 고민하지 않고, '여행의 이유'를 골랐다. 그 흡입력 있던 말발의 글발이 궁금했다. 그렇게 시작된 나의 독서 시간은 우아했다. 잠시 아이들과 멀어져 책을 읽을 때는 아이들이 과자를 흘려도 온 집안이 아이 물건들로 널브러져도

화가 나지 않았다.

여행을 풀어낸 문장들에 매료되어 곁눈질로 보이는 현실의 어려움은 사소한 일들로 느껴졌다. 주말마다 여행이 미치게 가고 싶었던 내 욕망이 사치스러운 욕심만은 아니었음에 위로도 받았다. 여행이 눈총받던 시절, 한적한 펜션 정보를 기웃거리며 느꼈던 죄책감에 불편하던 속이 개운해졌다.

'기대와는 다른 현실에 실망하고, 대신 생각지도 않던 어떤 것을 얻고, 그로 인해 인생의 행로가 미묘하게 달라지고, 한참의 세월이 지나 오래전에 겪은 멀미의 기억과 파장을 떠올리고, 그러다 문득 자신이 어떤 사람인지 조금 더 알게 되는 것. 생각해보면 나에게 여행은 언제나 그런 것이었다.' [2]

책 속 문장을 곱씹어 보니 여행은 육아와도 닿아 있었다. 늘 새로웠고, 실망도 하지만, 경험해 보지 못한 기쁨을 얻기도 했다. 나의 가장 끔찍한 모습도, 가장 사랑스러운 모습도 아이를 통해 확인하면서 조금씩 나는 여물어 가고 있었다. 아이들이 커버리고 나면 오늘 겪는 일들이 얼마나 그리울지 생각만 해도 눈물 날 것 같았다.

육아서에서도 발견하지 못했던 '육아의 기쁨'을 여행책에서 깨닫다니. '여행의 이유'라는 책을 읽고, 나는 내 식대로 '육아의 이유'를 생각했다. 읽는 책마다 내 상황에 들어맞는 무언가가 있었다.

수년 만에 처음으로 책 한 권을 완독하고, 내가 책을 읽어냈다는 사실과 꽤 괜찮은 감상평을 인스타그램에 공유했다. 허세의 시작이었다. 나

---

2) 김영하, 여행의 이유, 문학동네, 2019, 51쪽

는 이 힘든 고립의 시기를 책을 읽으며 현명하게 보내고 있다고 자랑했
다. 누군가는 내가 책 리뷰 올리는 언니에게 느꼈던 선망의 감정을 느끼
지 않을까 우쭐해 하면서. 아마 이때부터 바닥을 치던 내 자존감이 조금
씩 상승곡선을 타기 시작했으리라.

시작하기에 딱 좋은 때

나는 점점 책을 즐기기 시작했다. 책을 읽는 동안과 그 여운이 가시지 않을 때만큼은 마녀 엄마가 아니었다. 꼭 교훈이나 정보를 얻어야 한다는 강박 없이 마음 가는 책들을 빌려 읽었다. 책을 보느라 잠시 집안일을 미뤄두거나 아이를 보지 못할 때는 드라마에 정신이 팔렸을 때처럼 죄책감도 들지도 않았다.

두 번째로 피드에 기록한 책이 "미술관에 간 심리학"이다. 미술 문외한이 왜 이런 책을 골랐는지는 모르겠지만, 미술과 심리라는 두 영역을 연결한 지점에 끌렸던 것 같다. 이 책에서 나는 75세에 그림을 시작해 유명한 화가 된 모지스 할머니에게 매료되어 그녀의 책 '인생에서 너무 늦은 때란 없습니다.'를 연이어 읽었다.

  **'사람들은 내게 이미 늦었다고 말하곤 했어요. 하지만 지금이 가장 고
마워해야 할 시간이라고 생각해요. 무엇인가를 진정으로 꿈꾸는 사람에
겐 바로 지금 이 순간이 가장 젊은 때이거든요, 시작하기에 딱 좋은 때
말이에요.'** [3]

  '무엇인가를 진정으로 꿈꾸는 사람?' 처음으로 꿈에 대해 진지하게 고
민하기 시작했다. 생각해보면 공부해서 대학에 가고, 취업하고, 결혼하기
까지 나는 내가 진짜 하고 싶은 것을 진지하게 고민한 적이 없었다. 예
체능에 별다른 재주가 없으니 그냥 공부했고, 취업하기 쉬운 경영학과를
선택했다. 돈을 많이 벌 수 있을 거라는 기대감에 어렵사리 증권사에 입
사했지만, 결혼하면서 나의 경제적 능력은 하찮은 것이 되었다. 나 또한
깊은 고민 없이 현모양처를 꿈꾸었으며 나의 자리는 그 이후로 "안사람"
으로 굳어져 버렸다.

  세상은 나에게 "팔자 폈네.", "결혼 잘했다."라고 말해줬고, 나도 그
렇게 믿었다. 살림과 육아? 내조? 직장생활에 비하면 별거 아니라 생각
했다.

  하지만, 한 만큼 보상과 인정이 따랐던 공부나 일과는 달리 살림은 그
렇지 않았다. 못하면 바보 같았고, 열심히 하면 당연했다. 나는 대부분이
바보 같았다. 온 정성을 다 바쳐 요리했는데, "그냥 시켜먹자."라고 말하
는 남편에게 다시는 밥을 대령하지 않으리 다짐하며 복수의 칼날을 갈았

---

3) 애나 메리 로버트슨 모지스, 인생에서 너무 늦은 때란 없습니다, 수오서재,
   2017, 256쪽

다.

아이가 태어나면서 상황은 더욱 악화되었다. 내 뜻대로 되는 게 하나도 없었고, 그럴 때마다 나는 무능한 나를 깎아내리기 바빴다. 투정을 부리면 안 된다는 것쯤은 알았다. 돈 걱정 없이 아이에게만 집중할 수 있는 것은 남들에게는 부러운 일이었다. 하지만, 나는 내심 워킹맘으로 살면서 괴롭다고 하소연하는 친구들을 부러워하고 있었다. 회사에 가면 그래도 이름으로 불리지 않니? 거기다 직함도 있잖아? 벌써 과장이라니. 이직해서 억대 연봉을 받는 동기들 소식을 접할 때는 결혼하고, 바로 일을 그만둔 주제에 배가 아팠다.

입사 5년 만에 직장을 그만둔 나의 사회생활은 새내기에서 새내기로 끝났다. 직장에서도 신입. 집에서도 초보맘. 대체 나는 잘 하는 게 있기나 한가. 스스로가 주구장창 물 밑바닥만 기어 다니는 망둑어 한 마리 같이 느껴졌다. 나는 언제쯤 물속을 자유롭게 헤엄을 칠 수 있을까.

그랬던 나에게 던져진 모지스 할머니의 문장은 나를 들뜨게 했다. 75세에 그림을 시작해 성공한 할머니가 지금이 가장 젊은 때라고 하지 않는가. 그때 나는 36살이었다. 젊어도 너무 젊은 나이었다.

가만 생각해보니 나는 원래 무기력한 사람도 아니었다. 잘 하고 싶으면 배웠고, 경험하고 싶으면 도전했던 때가 있었다. 더 늦기 전에 하고 싶은 일을 찾아 도전하고, 이루었을 때의 그 쾌감을 다시금 느껴보고 싶었다. 남들이 정해준 기준 말고, 내가 진정으로 즐기는 것. 이루고 싶은 것을 찾고 싶어졌다.

그렇다고 명확한 꿈이 바로 떠오른 것도, 목표를 세워 무언가를 실천한 것도 아니다. 천천히 엄마라는 이름 아래 가려졌던 나를 조금씩 알게 되었을 뿐이다. 그 이후로도 한참을 책 읽은 것 말고는 한 게 없었지만, 한 권 한 권 읽을 때마다 희미했던 나 자신이 점점 선명해지고 단단해짐을 느꼈다. 모호했던 내 생각과 감정들을 생전 조합해 본 적 없는 단어들로 표현한 문장들의 힘이었다.

아줌마의 꿈, 바디 프로필

"찍어볼까?" "그래, 찍자! 별거 아니야, 그냥 하면 돼!."

1년에 한 번 볼까 말까 한 호탕한 내 대학 시절 친구와의 맥주 데이트에서 우린 함께 바디 프로필을 찍어보자고 결의했다.

친구는 이미 바디 프로필을 네 번 경험한 선배였다. 증권사에 다니는 워킹맘이면서 헬스트레이너 자격증을 땄을 만큼 운동을 좋아하고, 골프도 잘 치는 만능 운동인이다. 호탕하고, 과감한 성격이라 항상 결정도 빠르고, 시원시원하다. 나는 친구의 당당함과 넘치는 에너지가 늘 부러웠다. 그래서 그런지 그 친구를 만나면 나도 덩달아 자신감이 생기고, 목소리가 커지는 효과가 있다. 아무리 그래도 계획에 없던 바디 프로필을 그 자리에서 결심한 일은 내 인생에서 매우 이례적인 일이었다. 그것도 먼저 제안한 건 내 쪽이었으니.

친구와는 다르게 나는 평생을 운동치에 저질근력으로 살아왔다. 나만 아는 살들을 비밀처럼 간직하고 있었다. 주변에서 바디 프로필을 찍은 친구가 한 명 더 있기는 했지만, 전적으로 남 얘기였다. 남 얘기인 줄 알면서도 내심 아이 낳고 망가진 몸을 다시 정비해서 20대보다 탄탄하고, 예쁜 몸을 만들어 낸 그 친구의 모습이 부러웠다. 마침, 내 앞에 앉아 있는 친구가 바디 프로필에 있어서는 좀 아는 친구이니 나 같은 몸도 가능이나 한지 확인이나 해보자 얘기를 꺼낸 것이다.

그런데 웬걸 그거 별거 아니라는 친구의 반응. 운동하고, 식단 좀 하면 누구나 할 수 있는 거란다. 사진일 뿐이지, 대회가 아니지 않냐고, 6개월이면 넉넉하겠고 해보자는 그녀였다. 그래! 그럼 같이 해보자! 그렇게 바로 결정해 버리고는 우리는 다음 해, 그러니까 2022년 5월을 목표로 운동계획을 짜기 시작했다. 얼마 만에 느껴 본 설렘이었는지.

'PT는 너무 비싸지 않나.', '난 어차피 못할 것 같은데.' '애 엄마가 어떻게 그런 걸 해.' 예전의 나라면 이런 생각들에 묻혀 나의 내적 욕구를 드러내지도 못했을 것이다. 책을 읽고, 나와 꿈, 행복에 대해 고민한 시간이 있었기에 가능한 일이었다. 일단 뱉었더니 동료가 생겼고, 동료가 생기니 실행하게 되었다.

나의 계획을 말했을 때 진심으로 응원해주는 고마운 지인들도 있었지만, 대부분은 이런 반응이었다.

"그거 건강 다 망치는 일이야."

"나중에 요요 오면 감당 안 될 텐데."

"그런 걸 왜 하는 거야?"

마지막 반응 뒤에는 '애 엄마가 민망스럽게 그런 걸 왜 해.'라는 뜻도 담겨 있다는 것을 안다. 예전에 나였다면 그런 시선들에 위축되어 낚싯줄에 걸린 고기 마냥 그대로 끌려가 그저 그런 생선으로 살았을지도 모르겠다. 하지만, 이미 나는 하고 싶은 걸 해보리라. 나를 한 번 믿어보리라. 꽤 단단하게 마음먹은 뒤라 흔들리지 않았다. 드디어 나는 물속에서 조금씩 스스로 헤엄치는 물고기가 된 기분이었다.

군이 바디 프로필을 남기고 싶었던 이유는 내 안에 꿈틀대던 관종기도, 내가 세워둔 벽을 허물고 싶은 객기도 있었으리라. 꿈이란 게 원래 그런 것이리라 생각한다. 이유가 꼭 명확하지는 않지만, 그냥 끌리는 것. 누가 닦달하지 않아도 그 생각만 하면 눈이 번쩍 띄어지고, 심장이 두근두근해서 새벽에도 일어나지는 것. 남에게 인정받을 수 있거나 없거나 경제적 보상이 따르거나 아니거나, 그런 건 꿈의 기준이 될 수 없지 않을까. 남들의 인정이 꿈의 필수 조건은 아니다.

거창하지 않더라도 내가 더 나아지기 위해 결심한 모든 것이 꿈이 될 수 있다고 생각한다. 자유를 가진 꿈도 나를 나아가게 하고, 성장하게 한다고 믿는다.

독한 엄마, 복근의 힘

나는 바로 움직였다. 근처 헬스장에 가서 이것저것 안 따지고 바로 PT를 등록했다. 트레이너분께 6개월 후 바디 프로필을 예약했으니 특별히 빡세게 부탁드린다고 요청도 드렸다. 나의 당시 나의 체지방률은 26~27%, 마른 몸에 비하면 꽤 많은 지방이 숨어있는 몸이었다. 사실 한창때는 내 몸의 30%가 지방이었다고, 필라테스를 하면서 나름대로 정리한 몸이라고 고백했다. 민망했지만, 나는 발전 가능한 몸이라고 어필하고 싶었다.

상담을 통해 목표 체지방률을 20%로 정하고, 첫날 워밍업으로 유산소 10분을 뛰었다. 워밍업이란 운동 전 몸을 풀어주는 절차이다. 그런데,

몸을 풀어주기는커녕 나는 곧 쓰러질 것 같았다. 목에서는 이미 피가 고이는 것 같았고, 심장은 튀어나올 것 같았다.

그런 내 모습을 보고 PT 선생님이 말씀하셨다.

"운동하려면 체력을 먼저 끌어올려야 해요. 6개월 남았다고 했죠? 부지런히 합시다."

그 말은 나에게 '이런 몸으로 바디 프로필을 찍겠다고 왔어요?'라고 들렸다.

부끄러웠다. 한편으로는 '나 그렇게까지 별로는 아니에요.'라고 말하고 싶었다. 그래서 시키는 건 뭐든 빼지 않고 했다. 맨몸 스쿼트부터 시작했다.

"가슴 올리고! 더 앉아 더 앉아!"

힘없이 자꾸 앞으로 기울어지는 몸을 세워야 했다. 이 이상 내려갈 수가 없는데 자꾸 내려가라고 소리를 치신다. 기를 쓰고, 버티기만으로도 힘들어 가만히 멈춰선 나에게 다시 한번 불호령이 떨어진다.

"뒤꿈치 눌러!!!"

자꾸 안되는걸 하라고, 그것도 뒤가 짧아진 말로, 하시는 선생님이 야속했지만, 궁지에 몰리니 온몸이 떨릴지언정 몸을 아래로 내릴 수밖에 없었다. 일어나면서는 뒤꿈치 힘과 함께 비명을 질렀다.

"으악."

5개를 했는데 7개가 더 남았다. 12개를 했는데 이게 1세트란다. 3세트 더!!

겨우 세트를 마치고, 다리를 후들후들 떨었다. 하지만, 불쌍한 내 다리에 관용은 없었다. 쉬는 시간은 20초. 물 한 모금 마시고, 뚜껑 닫을 시간도 모자랐다.

50분 동안 몇 번을 혼난 건지 모르겠다. 어쨌든 시간은 흘렀고, 곧 이곳에서 벗어나 1층 카페에서 아이스아메리카노를 마실 생각에 미소가 번졌다. 하지만 그 행복도 잠시….

"유산소 20분만 더하고 가세요."

"네?? 이 다리로요? 저 못해요…."

"처음이 어려워요. 하다 보면 괜찮아요. 근력 열심히 했는데, 지방도 태워야죠! 바로 뛰어야 효과가 더 좋아요. 끝나고, 바로 가서 단백질 보충하시고요."

다시 '요'자를 붙인 PT 선생님의 다정한 요청에 못한다고 내뺄 수가 없었다. 내가 아이에게 숙제를 시킬 때 아이가 이런 기분이었을까. 다정한 요청에도 이렇게 기운이 빠지는데, 나의 강요가 얼마나 고욕이었을지. 왜 이 순간까지 아이가 생각나는 건지 모르겠지만, 어쨌든 나는 영혼 없이 러닝머신에 올라탔다. 오기로 뛰었다. 이거 못하면 나는 정말 바디 프로필이고 뭐고, 아무것도 못 하는 인간이 될 거라는 오기로.

며칠을 걷기 힘들 정도의 근육통으로 보냈지만, 기분 좋은 통증이었다. 가만히 있어도 근육이 막 붙는 느낌이었고, 육안으로 보기에도 뱃살은 조금 깎여 있었다. 처음 한 달은 지옥에 끌려가는 기분으로 헬스장에 갔지만, 몸은 생각보다 금방 적응했다.

그렇게 석 달을 꾸준히 주 2회는 PT를 받고, PT가 없는 날에는 혼자 운동을 했다. 온 힘을 다해 기구의 무게를 견디면서 깊어지는 미간의 주름을 걱정할 새도 없었다. 12개에서 15개 15개에서 20개. 연속으로 해낼 수 있는 횟수가 늘어가면서 꽤 짜릿한 성취감을 느꼈다. 코로나 이슈로 헬스장 방문이 어려울 때는 유튜브로 부위별 운동을 찾아가며 기어코 그날의 분량을 채워 운동했다. 몸이 변해가는 것을 느껴서이기도 했지만, 운동 후의 개운함은 글로 표현해낼 수가 없었다. 묵혀둔 몸 안의 찌꺼기들과 감정들까지 땀과 함께 씻겨나가는 기분에 중독되어갔다.

내 몸 안에서 뽑아낼 수 있는 모든 힘을 헬스장에서 쏟았지만, 집에 오면 이상하게 더 기운이 넘쳤다. 운동 매트를 깔고, 유튜브를 틀면 그새 아이들이 몰려와 영상을 따라했다. 서로의 끙끙대는 모습에 배꼽을 잡고 웃는 날이 많아졌다.

매일 아침 닭가슴살, 현미밥, 샐러드를 내 그릇에 가지런히 정돈하고, 찍은 사진을 PT 선생님에게 확인받는 일도 꾸준히 했다. 나는 내가 이렇게 독한 사람이라는 것을 처음 알았다.

아마 내가 이렇게 식단을 칼 같이 지켜낼 수 있었던 이유는 운동한 게 몹시도 아까워서였을 것이다. 100만큼 힘들여 운동했다면 식단으로 200만큼의 효과를 내고 싶었다. 바람직하지 않은 식단으로 운동 점수를 깎아내릴 수는 없었다. 나는 게다가 일면식 없는 사진작가들 앞에서 벗어야 하는 몸이었다. 바디 프로필을 찍겠다고 가서 뱃살이 출렁대고, 엉덩이가 처져 있으면 그만한 창피가 없을 것 같았다.

이미 내 분량을 야무지게 챙겨 먹은 나는 아이들이 먹고 남은 잔반을 과감하게 버릴 수 있는 여유가 생겼고, 내 밥과 아이들 밥을 철저히 분리하기 시작했다. 나를 챙기는 습관이 생각보다 나쁘지 않았다. 혹시 내 글을 보고 바디 프로필이 찍고 싶어지셨다면 '닭가슴살'에 겁먹지 않으셔도 된다고 말하고 싶다. 의외로 다양한 맛과 제품이 있으니 골라 먹는 재미도 있다.

운동과 식단이 순조롭게 진행되어 가는 중이었지만, 나의 배는 여전히 물렁물렁했다. 다른 건 몰라도 복근이 이제 조금씩 보일 때가 된 것 같은데 어디 숨어있는 건지 감감무소식이었다. 여전히 나는 자신 없었다. 벌써 가까운 지인들에게는 소문을 다 내버렸는데, 이러다 정말 이티 같은 몸으로 사진을 찍게 되는 건 아닌지…. 역시 나는 안 되는 걸까.

지나고 나서 생각해보니 그때는 우리가 아는 모든 성공한 인생에서도 대부분 존재하는 불안의 구간이었다. 스티브 잡스가 발표를 앞두고 본인으로 인해 회사가 어려움에 처하게 될까 봐 느꼈던 불안, 아인슈타인이 자신의 연구가 잘못될까 봐, 아니면 다른 사람이 먼저 같은 발견을 할까 봐 느꼈던 불안, 마틴 루서 킹이 "나는 꿈이 있습니다" 연설을 앞두고 느꼈던 극도의 불안. 이 불안들에 꺾여 포기했다면 그들의 이름을 우리가 알 수 있었을까. 한낱 30대 여성의 운동 스토리를 이런 웅장한 인생사에 비할 바는 못되겠지만, 나는 '불안'이라는 것이 평범한 우리만 겪는 나약한 심리는 아니라는 것을 공유하고 싶다. 불안! 이거 꼭 나쁜 것만은 아니라는 것을.

불안이 노력의 동력으로 작용하여 나는 유튜브의 도움을 받아 매일 10분씩 복근 운동을 추가했고, 한 달여가 더 지났을 때 비로소 나의 배가 단단해짐을 느끼기 시작했다. 윗몸일으키기 한 번 쉽게 올라오지 못했던 내가 웬만한 챌린지 동작들이 가능해졌다. 희미하지만 서서히 복근이 드러나기 시작했을 때의 쾌감이란!

복근의 힘으로 나의 사기는 점점 하늘을 찔렀고, 만나는 사람마다 자랑하고 싶어졌다. PT 선생님에게 칭찬받고 싶어서 운동하는 날을 기다렸고, 이를 악물고 운동했다. 눈으로 몸 상태를 확인하는 '눈바디'를 찍는 재미로 헬스장 가는 일이 행복해졌고, 식단을 지키는 일도 가뿐했다.

시간은 생각보다 빨리 흘러 내 지방 속에 숨어 애를 태우던 복근은 날이 갈수록 선명해졌다. 무언가 노력했을 때 결과가 빨리 보이지 않더라도 실망할 필요가 없다는 사실을 몸으로 배웠다. 계단식 성장이다. 복근이 보이기까지의 지루한 기간을 잘 버텨냈더니 나의 운동능력과 눈바디는 껑충 뛰어올랐다.

디데이 2주 전. 이미 나는 목표치 체지방률 20%를 훨씬 밑도는 14%를 달성한 상태였다. 나의 호탕한 친구와 매일 같이 카톡을 주고받으며 서로의 의상을 체크 하며 여고생 마냥 키득거렸다.

"얘들아 오늘은 언니라고 불러!"라는 말에 환호하는 아이들. 10년은 더 젊어진 기분으로 아이들을 대했다.

세심하지 못한 성격 탓인지 나는 외적 꾸밈에 별로 관심 없는 아줌마였다. 쇼핑은 귀찮고, 화장은 더 귀찮았다. 그런 나에게도 돌잔치 이후 8년 만에 받아보는 메이크업과 헤어는 신나는 일이었다. 친구와 깔깔거리며 민망함도 잊은 채 최고의 사진이 나오기를 바라는 욕심으로 촬영을 했고, 생전 꿈꿔보지 못했던 '바디 프로필' 사진을 남기는 일에 성공했다.

사실 친구 몸에 비하면 나는 그냥 삐쩍 마른 몸에 복근만 더해진 정도였다. 하지만 나는 안다. 축 처져 있던 엉덩이와 꼬챙이 같던 빈약한 하체가 얼마나 단단해졌는지를. 단단해진 건 몸뿐 만이 아니라는 것을.

주변에서는 여전히 "못 먹어서 짜증 나지 않아?", "그렇게까지 해서 (애 엄마가) 예뻐져야 하나."라고 말한다. 그러면 이렇게 반박한다. 예전의 나와 비교하면 짜증은 훨씬 줄었고, 그렇게까지 해서 예뻐질 뿐만 아니라 생전 느껴보지 못한 활력과 생기를 얻었다고. 못 먹는 것이 아니라 더 잘 챙겨 먹는 것이고, 운동하면서 건강하게 먹으니 가려움에 시달렸던 피부도 좋아졌다고. 수면의 질도 좋아져 하루를 개운하게 시작할 수 있고, 무엇보다 이 어려운 일을 해낸 내가 이리도 대견할 수가 없다고 말이다.

그렇다고 바디 프로필을 찍어보시라 권유하는 것은 아니다. 누군가에게는 이 일이 나처럼 활력보다는 스트레스가 될 수도 있음을 안다. 중요한 것은 바디 프로필 자체가 아니라 꿈을 위해 노력하고 기어코 이루었다는 것이다. 아줌마의 바디 프로필 도전기가 행여나 주책스럽고 추해 보이지는 않을까 걱정했던 주변 눈치를 극복한 나도 기특했다.

막상 도전해보니 '바디 프로필'에 담길 '좋은 몸'에 대한 기준도 스스로 만들면 그만이었다. 누군가는 나 정도의 몸은 바디 프로필을 찍기에 부족하다 할 것이고, 누군가는 그 정도의 몸을 만들어 대단하다 할 것이다. 누가 뭐라 하든 나는 찍었고, 해냈다는 것에는 변함이 없다.

겉으로는 무모해 보이는 많은 도전들이 안을 들여다보면 누구나 가능한 일이라는 사실도 알았다. 도전에 대한 거리감이 줄었다. 누구든 하고 싶은 일이 있다면 일단 시작해 보라고 감히 말하고 싶다. 일단 시작을 했다면, 그리고 기회를 잡았다면, 주변 시선에 꺾이지 말자. 이를 악물고 노력하다 보면 어느 순간 목표치에 도달해 있는 나를 발견할 것이다.

작가의 탄생

성공적인 바디 프로필 사진을 남긴 나는 행복과 동시에 조급함도 들었다. 자신감과 에너지가 충전되었음은 확실했다. 하지만 여전히 나는 무언가를 빨리 이뤄 인정받고 싶었다. 바디 프로필 준비에 집중했던 것처럼 목표를 세우고, 그 목표를 향해 나아가고 싶었다.

그래서 도전한 것이 '공인중개사' 시험이었다. 누구에게도 증명할 수 있는 자격을 갖추고 싶었다. 20대 때 금융 자격증을 2~3개 취득한 경험으로 시험에 대한 요령도 있었고, 부동산에 관심도 있던지라 어느 정도 자신 있었다. 욕심과 의욕이 과했던 나는, 스스로 깊이 들여다보지 않고, 쉬운 길을 선택했다.

그렇게 공인중개사 시험 1차에 합격했지만, 내년 2차까지 공부할 마음이 있는지는 미지수였다. 1차 시험에 합격하더라도 다음 해 2차 시험을 응시하지 않으면 무용지물이 된다. 사실 공부하면서 정답을 맞히는 데만 집중하다 보니, 이 시험이 내 인생에 도움이 될지 의문이 들었다. 나는 부동산 중개인이 되어 돈을 벌고 싶었던 것이 아니라 부동산투자를 위한 공부가 필요했던 것임을 그제야 깨달았다. 차라리 실질적인 강의를 듣거나 관련 책을 읽는 것이 현명하지 않을까. 오히려 시험공부에 밀려 제대로 하지 못했던 읽고 쓰는 일에 대한 갈망이 더 진해지고 있었다.

이 글을 쓰는 지금 2주 후면 공인중개사 2차 시험이 있지만, 결국 나는 포기했다. 누군가에게는 "그 정도 시험 포기가 대수냐.", 할지도 모르겠지만, 주부인 내가 아이들을 돌보며 공부해 1차 합격한 시험을 포기하기까지는 용기가 필요했다. 그 용기는 뚜렷해진 꿈을 이루기 위한 것이었다. 읽고 쓰기를 통해 나를 드러내는 것, 이것이 내가 원하는 삶이었다. 아마 이때부터 작가의 꿈을 키워나가기 시작한 것 같다.

1차 시험이 끝난 작년 10월부터 나는 책을 더 열심히 읽었고, 블로그도 시작했다. 정리되지 않은 나의 일상과 책 리뷰였지만, 쓰고, 읽는 시간이 행복했다. 쓰기는 어지러웠던 머릿속을 정리하는데 특효였고, 다양하게 읽었던 책은 방 한 칸 정도였던 내 생각의 범위를 집 한 채에서 아파트, 아파트에서 단지, 단지에서 도시로 조금씩 넓혀 주었다. 처음엔 아무도 보지 않았지만, 한 분 한 분 내 글에 공감해 주는 사람들이 생겨나는 것도 벅찬 일이었다.

모두가 잠든 시간 키보드를 두드리고, 말로는 나올 수 없는 표현들이 손끝에서 나와 글이 되고, 그렇게 쓴 글들이 저장되는 내 공간이 좋았다. 나도 박완서 작가님처럼 마흔에 작가로 데뷔를 하게 되는 일을 상상하기도 했다. 그 흐릿한 꿈이 6개월 만에 현실이 될 줄은 그때는 몰랐다.

블로그에 혼자 읽고, 쓰기만 하다가 반년 전부터 인스타그램 계정을 개설해 나와 비슷한 사람들과 소통하기 시작했다. 책 계정을 통한 소통은 놀라운 경험이었다. 1일 1독을 멈추지 않고 하시는 분들, 자기만의 콘텐츠 제작 기술을 공유하고, 강의하시는 분들, 각양각색의 독서모임. 다양한 사람의 노력과 열정을 인스타그램에서 확인할 수 있었다. 나도 이 안에서 뭔가를 할 수 있지 않을까. 그들을 따라가고 싶은 마음에 꾸준히 피드를 올리고, 소통하고, 독서모임으로 나와 결이 비슷한 사람들과 대화를 나누기 시작했다.

내가 가는 방향에 확신이 생기고, 즐기게 되니 실행력은 어렵지 않게 뒤따랐다. 우선 매일 아침 읽는 신문을 주간 단위로 정리해 공유했다. 신문은 NIE (신문 활용 교육)을 알게 되면서 아이 교육용으로 구독하기 시작했다. 그런데 나도 같이 읽다 보니 인터넷 기사만 보던 때는 몰랐던 종이신문의 매력을 알게 되었고, 평소 관심 분야가 아닌 일에 관심이 생기기도 했다. 세상 돌아가는 일이 보이기 시작했다. 대충 보고 잊어버리기 싫어 정리를 시작했고, 내가 한 신문 정리를 보고 도움이 되었다는 댓글들이 반가웠다. '수다'로 채워지지 않던 나의 지적 욕구가 신문으로 채워지고 있었다.

서평 모집에 참여해 신간을 받아보고, 서평을 남기는 일도 시작했다. 누군가 내 리뷰를 보고 그 책을 선택할 수도 있다고 생각하니 더 좋은 결과물을 만들어내고 싶었다. 인스타그램 안에는 내가 필요로 하는 디지털 도구, 글쓰기 강의 등 거의 모든 것을 배울 기회가 있었다. 배우다 보니 내가 만드는 콘텐츠의 질도 좋아졌고, 브랜딩에 관심이 생겨 관련 책들을 보며 공부하기도 했다. 시간 낭비라고 여겼던 SNS는 누군가는 꿈을 이루고, 누군가는 꿈에 필요한 정보를 얻는 공간이었다.

느리지만 꾸준하게 독서와 SNS 생활 (책스타그램)을 이어가던 중에 어느 날, 기적 같은 일이 일어났다. 이 책을 쓸 기회를 얻게 된 것이다. 순식간에 일어난 일이다.

시작은 '네이버에 인물등록'이 가능하다는 내용의 '리더인'님 강의를 듣게 된 일이었다. '네이버에 내 이름이 작가로 검색된다면 얼마나 행복할까.' 불가능에 가까웠던 '작가'라는 꿈이 현실감 있게 다가오는 순간이었다. 예전보다는 작가 되기 쉬운 세상이 되었단다. 하지만, 여전히 나에게 작가란 바디 프로필보다 거리감 있는 얘기였다.

곧이어 '리더인'님의 100% 재능기부로 진행되는 "작가의 탄생 1기"라는 공모를 보게 되었고, '기회가 왔나? 나에게도?'라는 직감에 고민 없이 신청했다.

며칠 뒤 거짓말처럼 작가의 탄생 1기에 선정되었다는 연락을 받았다. 어안이 벙벙했다. 좋기는 했지만, 이런 기적 같은 행운을 누려도 될 자격이 있는지 스스로를 의심했다. 아무 일도 없을 때 나는 늘 운이 없다고 생각했는데, 막상 이런 일이 내게 닥치니 '왜 내게?'라는 의문이 생겼다.

아무것도 이룬 것이 없는 평범한 주부일 뿐인데 당장 어떤 글을 써야할지도 막막했다. 쓴다 한들 사람들이 내 글을 봐줄까. 하지만, 기회를 놓치고 싶지는 않았다.

정신 차릴 새도 없이 나는 무엇이든 써야 했다. 쓰다 보니 지극히 평범하다. 하지만 대부분 사람이 평범하지 않은가. 평범한 이야기도 책이 될 수 있지 않을까. 여전히 나는 감정조절이 어렵고, 불안하고, 실수한다. 하지만, 꿈을 향해 나아가고 있음은 분명하다. 글을 쓰면서 다시 깨닫는다. 운동하고, 읽고, 쓰기를 잘 했다고.

3장

꿈꾸는 나,
성장하는 엄마

사랑스러운 아침

꿈을 꾸면서 가장 조급했던 나의 '아침'은 가장 행복한 시간이 되어 있었다. 책을 읽기 위해 1년 전부터 새벽 기상을 하고 있다. 고요한 시간, 따뜻한 커피와 함께하는 온전한 내 시간은 포기할 수 없는 나의 루틴이 되었다. 날이 제법 추워졌다는 핑계로 6시까지 단잠을 즐기기도 하지만, 대부분은 5시에 일어나 읽고 싶은 책을 읽고, 글을 쓰고도 여유가 생겼다. 밥을 할 여유 말이다. 밥솥에 취사 버튼을 누르고, 따뜻한 국한솥을 끓여 내거나 안 먹는 채소들을 숨겨서 정성껏 주먹밥을 오므려

놓고, 아이를 깨운다. 딸들의 귀여움 지수가 가장 높은 시간, 아이가 커 버리면 사라질 얼마 남지 않은 이 달콤한 시간을 사랑스럽게 보내고 싶 다. 깊은 잠에서 깨어나려는 아이를 애틋한 마음으로 주무르고 안아주 고, 얼랜다.

내가 일찍 일어나니 아이의 기상 시간도 빨라진 건 덤이다. 더 이상 아이를 재촉하지 않아도 되었다. 아직도 밥보다는 빵이 나오길 기대하는 딸이지만, 한두 숟갈 겨우 먹어주더라도 나는 그렇게 내 사랑을 표현하 고 싶다. 아이가 밥을 먹는 모습을 보면 마음이 따뜻해진다. 성조숙증이 오지 않을까 걱정하기보다는 건강한 먹거리부터 챙겨보려 노력 중이다. 식단을 했던 경험이 큰 도움이 된다. 특히 단백질을 늘 신경 쓴다.

졸린 눈을 비비는 아이와 마주 앉아 각자 신문을 읽기 시작한 지도 꼬박 1년이다. 똑똑해지는 건 둘째 치더라도 신문을 사이에 두고, 아이 와 다채로운 감정을 나눌 수 있어 포기할 수 없는 루틴이다. 1만 9000 년 전 남극 빙하에 갇혀있던 선충이 깨어나 움직이고, 먹이도 먹었다는 기사를 보고 함께 경악하기도 하고, '초등학생도 SNS를 해야 할까'라는 내용의 기사를 읽고, 서로 의견이 달라 열띠게 토론하기도 한다.

최근에는 아무리 바빠도 남편의 출근길에 현관으로 달려가 아빠를 안 아주며 배웅하는 루틴을 만들었다. 지난 몇 년간 가끔 하던 일이기는 했 지만, 남편을 향한 불만을 냉랭한 아침으로 대꾸하면서 없던 일이 되어 버렸었다. 남편과의 결혼생활을 처음부터 늘어놓자면, 아니 내가 서운했 던 부분들만 추려도 책 한 권 분량일 것이다. 비슷한 분량으로 남편도 나에게 실망한 부분들이 있을 거라는 것도 안다. 상황이 이러하니 우리 의 대화는 늘 꼬이기만 했다. 어쩌다 좋은 마음으로 남편 입장을 헤아려

보려 해도 그 노력은 여전히 내 경험과 생각이라는 비좁은 우물 안이었다.

남편을 배웅하는 일은 박재연의 '사실은 사랑받고 싶었어'라는 책을 읽고 시작되었다.

'서로를 응시하는 따뜻한 시선, 한 방울의 눈물, 깊은 한숨과 부드러운 미소, 그것이 대화인지도 모르겠습니다.'[4]

남편을 논리적인 말로 이겨 먹으려고 늘 애쓰던 나였다. 그럴수록 우리는 멀어지기만 했고, '대화'는 점점 사라져갔다. 이 문장을 보고 나는 '대화'를 새로이 알게 되었다. 따뜻한 시선과 미소짓기만으로 지하 깊숙이 내려갔던 우리의 관계를 끌어 올릴 수 있을까. 그래, 한 번 해보자.

미소로 따뜻하게 건네는 '아침 인사'가 적당해 보였다. 남편이 회사 일을 기분대로 처리하지 않듯이 나도 아침 인사를 그날의 기분과는 무관한 우리 가족의 필수업무로 만들었다. 전날 다툼이 있었을지라도 무조건 출근하는 아빠를 한 번씩 안아주고 마중하기를 철칙으로 했다.

"얘들아 인사해야지!"
"괜찮아, 하던 거 해."

라고 어색해하던 남편도 이제는 현관에서 팔 벌리고 우리를 기다린다. 포옹조차 어색했던 우리 부부도 농담 한 스푼, 장난 두 스푼 얹어 웃는 아침을 만들었다. 한 달을 해보니 이제 내가 시키지 않아도 아이들이 먼저 현관으로 가서 아빠에게 안긴다. 아침 인사가 있었기에 묵힌 감정으

---

4) 박재연, 사실은 사랑받고 싶었어, 한빛라이프, 2023, 112쪽

로 엉키던 대화도 조금씩 풀리기 시작했다.

아빠를 배웅할 때처럼 대문을 나서는 아이도 꼭 안아주고, 엘리베이터 문이 닫히는 순간까지 손 하트를 보낸다. 아빠와 언니가 그렇게 떠나면 작은 아이에게 아껴둔 사랑을 (대놓고 사랑하면 큰 아이가 서운해하기에) 퍼붓는다. 책도 읽어주고, 머리도 묶어주면서 온전한 둘만의 시간을 누린다. 그렇게 작은 아이도 유치원 버스를 타고 떠나고 나면 등원 동지 엄마와 잠깐의 수다 타임을 갖는다. 나와 비슷한 소신의 엄마를 만나서인지 아니면 내가 변한 건지 모르겠지만, 수다의 주요 안건은 운동이나 자기개발이다. 주책스럽지만, 좋은 기회로 곧 내 책이 나올 거라는 자랑도 떠벌리고, 그래서 바쁘다는 것도 어필한다.

그 어떤 교육보다 '사이좋은 부모'가 아이들에게 긍정적인 영향을 미친다는 것은 요즘 부모라면 다 알고 있을 것이다. 알면서도 가장 실천하기 힘든 일이다. 갑작스러운 애정표현이 어색하다면 아침 인사 규칙을 만들어 보시는 건 어떨까. 우리 아이들이 아침마다 부모의 따뜻한 인사와 아빠의 포근한 포옹을 경험하는 것이 그 어떤 고가의 사교육 경험보다 유익하리라 믿는다. 나의 이런 신념은 그간 읽었던 책의 공이 크다. 책을 놓을 수 없는 이유이다.

엄마, 방금 그 말 너무 지혜롭다

엄마의 꿈으로 가장 큰 혜택을 보는 것은 아이들이 아닐까. 감정조절이 늘 완벽한 것은 아니지만, 곧 사춘기에 접어들 딸과의 대화가 재밌어진 건 다행스러운 일이다. 이전처럼 분노나 화를 필터 없이 쏟아내는 일도 줄었다. 딸과의 대화를 통해 나의 성장을 확인하기도 한다.

'해외 살이'에 로망이 있는 나는 어느 날 아이에게 물었다.

"사랑아, 우리 내년에 미국에 한 달 살면서 현지 학교에 다녀보지 않을래?"

"싫어, 무서워."

"막상 해보면 네가 생각했던 것과는 다를지도 몰라. 공부도 많이 안 해도 되고, 선생님, 친구들도 친절할 거야."

"그래도 싫어."

아마 이쯤에서 예전의 나라면 겁많은 딸이 걱정스러워 '해보지도 않고, 무조건 싫다고만 하면 네 손해야.'라며 짜증 섞어 말했을 것이다.

나는 손으로 크게 원을 그리며 이렇게 얘기했다.

"사랑이는 네가 좋아하는 많은 것 중에 아주 조금만 알고 있을 거야. 이 원 안에 있는 것들 말이야. 네가 정말 좋아하고, 심지어 잘 하는 일이 이 원 밖에 있는데, 너의 두려움 때문에 이 원 안에서만 지낸다면 평생 네가 좋아하고, 잘 하는 일을 모르고 살 수도 있는 거야. 엄마도 엄마가 여행과 책을 좋아하는지 어릴 때는 몰랐던 것처럼 말이야. 그래서 성공한 사람들은 항상 경험이 중요하다고 말한단다."

사실 내가 얘기하고도 깜짝 놀랐다. 나는 늘 머릿속에 뿌옇게 존재하는 생각들을 듣는 사람이 명료하게 이해할 수 있도록 설명하는 일을 어려워했다. 그러던 내가 아이 수준에 맞게 술술, 그것도 아주 차분하게 말할 수 있다니. 아이의 반응에 나는 더 놀랐다.

"엄마, 방금 그 말 너무 지혜롭다,"

"어머, 이 말이 지혜롭다고 느껴졌구나! 그렇게 들어줘서 고마워. 지혜롭다는 말을 할 줄 아는 사랑이도 너무 지혜롭다."

내 글을 읽는 분들은 뭐 이 정도 대화 가지고 야단이냐. 하실 수 있겠지만, 나에게는 책을 읽은 이래 최고의 아웃풋이었다. 준비되지 않은 상황에서 아이를 평화롭게 설득시켰고, 심지어 지혜롭다는 피드백을 받았다. 뻔한 얘기를 하거나 핀잔을 줬다면 아이가 나를 지혜롭다고 해주었을까. 우리의 대화가 이 정도 수준에 이르렀음에 나는 감격했다. 이게 다 내가 여태껏 책을 읽고, 되새기고, 운동하고, 건강한 먹거리를 챙기며 나의 몸과 정신을 건강하게 유지해 온 덕이리라. 건강하지 않았다면 책을 꾸준히 읽지도, 아이와의 대화에 온전히 집중할 에너지도 없었겠지. 이 대화의 공을 운동에게도 돌리고 싶다.

"학원에 가면 머리가 너무 아프고, 눈도 아파."
"엄마랑 더 오래 같이 있고 싶어."
평소 같았으면 투정으로 여겼을 아이의 말이 그 날따라 '어떤 신호'로 느껴졌다. 엄마의 잔소리를 들어줄 각오로 하는 도움의 요청을 무시하기 힘들었다.

아이와 꽤 오래 대화를 했고, 아이 생각을 더 잘 이해하게 되면서 나는 사교육을 최근에야 모두 정리했다. 내가 바랐던 엄마의 관심, 사교육, 경험들을 아이는 원하지 않을 수도 있다는 것을 인정했다. 나와는 다른 존재임을 드디어 온전히 깨달았다.

우리 아이만이 가진 빛이 이렇게나 눈부셨는지를, 10년을 함께 하면서 이제야 알다니.

느리고, 답답하다고 타박하던 아이는 신중하고, 세심한 빛을 가진 아이였다. 차분하게 앉아 나와 함께 독서 시간을 즐길 줄 아는 아이, 자신이 겪은 일을 실감나게 표현해 낼 줄 아는 아이, 이야기를 쓰는 일이 재밌다고, 나도 끙끙대는 글쓰기를 너끈히 해내는 아이. 할 일이 너무 많다며 투덜거리지만, 결국에는 약속을 지켜내는 멋진 아이가 내 아이라는 것이 눈물 나게 감사하다.

아이에게 느끼는 가장 큰 불안이라면 나의 무지함으로 모질게 대했던 그때의 실수가 되풀이되어 아이만의 빛을 잃게 되는 것이다. 이런 일이 없도록 하기 위해서는 내가 더 나은 인간이 되는 수밖에 없다. 몸도 마음도 말이다.

"엄마 진짜 작가 되는 거야?"

요즘 아이가 자주 묻는다. 친구들과 선생님에게 자랑하는 아이를 보면서 부족하다는 생각을 떨쳐내고, 해보기를 잘했다는 생각이 든다. 어쩌면 내가 꿈을 꾸고, 내 인생을 찾고, 성장하고 싶어진 데에는 좋은 엄마, 멋진 엄마가 되고 싶은 마음이 시작이었으리라. 아이와의 시간이 훨씬 행복해졌다.

조금만 더 솔직해지겠다. 아이를 보는 눈이 많이 달라지기는 했지만, 여전히 늘 좋은 엄마는 아니다. 학원을 정리했다고 해서 아이 공부에 손을 놓은 것도 아니다. 사실 어제도 아이 수학 문제를 봐주다가 뒷목을 잡았다. 큰소리로 다그치지는 않았지만, 나의 한숨에 아이가 눈물을 글썽였다. 여전히 새어 나오는 감정을 다 막아내지 못한다. 반성한다. 상황이 이러한데도 확언할 수 있는 것은 아이를 위함인지, 나의 욕심인지를 늘 구분하려 애쓴다는 것이다.

나는 단지 아이가 학생의 본분으로 주어진 '공부'를 포기하지 않고, 노력하는 과정에서 성장하길 바란다. 그것이 성적으로 나타나지 않더라도 몰랐던 문제를 알게 되는 기쁨을 알았으면 좋겠고, 책을 통해 세상이

넓어지는 경험을 누렸으면 좋겠다. 어떤 일을 목표로 하든, 지켜왔던 습관의 힘으로 이루어내길 바란다. 본인 스스로 행복한 삶을 찾고, 꿈꿀 수 있기를.

아직 시험이 없는 초등학생이라 속 편한 소리 하는 줄도 모르겠다. 10년 후 벌어질 입시경쟁에 욕심을 내지 않을 자신이 있느냐, 그것도 단정 지을 수 없다. 하지만, 적어도 현재 나의 역할은 아이가 포기하지 않고, 나아갈 힘이 생기도록 돕는 조력자일 뿐임을 이제는 분명히 알 것 같다.

수학 문제를 풀다가 아이가 말했다.

"엄마! 나, 이거 이제 알아!!"
"와, 대단한데? 엄마도 오늘 두 장이나 썼어!!"
함께 성장하고, 서로를 응원하는 엄마와 딸 관계. 너무 이상적인가. 우리 세 모녀의 이야기가 어떻게 흘러갈지 궁금하다. 너무 설레서 심장이 간질간질하다. 다음 내 책에는 아이들 이야기를 더 써보고 싶다. 마흔 근처에서야 철든 엄마와 딸들의 로맨스를!

새롭게 알게 된 나

"남편이 잘 버는데 그냥 편하게 살아." "애나 잘 보지, 무슨 애 엄마가 이렇게 바빠."라고 말하는 사람들이 여전히 있다. 악의가 있는 것은 아니다. 생각이 다를 뿐.

편한 게 뭘까. 나는 운동을 하고, 읽고 써야 편해진다. 엄마들과의 브런치, 드라마를 정주행하는 시간이 모두 책과 글로 옮겨왔다. 아이는 보는 것이 아니라 교감하는 것이다. 잘 교감하려면 엄마의 성장도 필요하지 않을까.

책을 읽고, 글을 쓰기 시작하면서 나는 나에 대해 명확하게 알게 되었다. 감정을 무시하며 T (Thinking 사고) 인척 살아왔던 나는 F

(Feeling 감정)였고, 혼자 있는 시간을 소외감으로 느껴 E (Extrovert 외향) 인척 살아왔던 나는 I (Introvert 내향)였다.

혼자 있는 고요함을 좋아하고, 읽고 쓰면서 차곡차곡 내 서랍을 채워가는 일이 좋아졌다. 느슨하지만, 따뜻한 관계가 좋다. 그렇다고 정적이지만은 않다. 하루 한 번 땀 흘려 운동하지 않으면 찌뿌둥하고, 주말엔 꼭 아이들과 새로운 경험을 하러 떠난다. 산을 오르면서 밟는 흙과 나무 냄새, 정상에서 마시는 공기가 좋고, 춤을 배우면서 밖에서 못 흔드는 몸을 흔드는 시간도 좋다.

글을 쓰면서부터 주변의 소소한 것들이 새삼 달라 보이는 경험도 하고 있다. 단순히 나이가 들어서일 수도 있겠지만, 더 좋은 글감과 표현을 고민하는 자세로 주변 것들을 본다. 천천히 모양을 바꿔가며 움직이는 구름을 따라가는 일이 재밌고, 이른 여름 갑자기 피어난 장미 한 송이가 기특하다. 고요한 새벽 마룻바닥에 발바닥을 내려놓을 때 느껴지는 한기를 사랑한다. 모르고 지냈던 행복들이다.

꼭 필요한 만남이 아닌 이상 사람을 만나는 일도 줄었다. 혼자 있는 시간의 맛을 알았다. 성장하는 친구들을 부러워했던 마음을 내려놓고, 나의 성장을 위해 애쓰는 시간을 정해 붙들어 놓는다. 수시로 강의를 듣고, 독서모임도 하고, 돈 안 되는 서평을 쓰고, 블로그와 인스타그램에 1일 1 피드를 하려고 노력한다.

그렇다고 혼자 있기 위해 요란스럽게 주변 인간관계를 정리했다는 것은 아니다. 단지 관계에 연연하기보다는 나의 성장에 집중하고 싶을 뿐이다. 출근하는 맘으로 일상을 살아가되 지인들과는 마음을 나누며 살기로 했다. 날이 좋고, 여유가 있는 날엔 함께 산에 가고, 아픈 사람이 있으면 파 뿌리 넣은 고깃국을 끓여다 주고, 끝나지 않는 육아 시행착오를 나누는 동료이자 함께 늙어가는 친구가 되고 싶다.

예전의 나처럼 아이 친구를 만들어주기 위해 억지로 관계를 만들거나 그런 관계에서 그다지 할 말이 없으니 괜한 하소연만 늘어놓는 대화로 반나절을 보내는 일은 하고 싶지 않다. 소모적인 만남을 자주 만드는 대신 문자 한 통, 전화 한 통이라도 마음을 담아 보려 한다.

나는 여전히 불안하기도 하다. 독서를 시작 한지 고작 2년, 읽어낸 책이 100권 남짓인데, 두세 달 만에 100권을 읽어내고, 리뷰까지 척척 뽑아내는 인친 (인스타그램 친구)들을 보면 기가 죽는다. 기가 죽는다는 것은 내가 누리지 못하는 고가의 명품, 해외여행을 자랑하는 피드를 보고 느끼는 박탈감과는 거리가 멀다. 내가 방치해온 글쓰기 유전자를 더 키워주지 못한 미안함이다. 이제라도 알았으니 얼마나 다행인가. 읽기와 쓰기에 게을러질 수가 없다.

이제야 내가 좋아하는 것들을 알고, 꿈을 꾸기 시작하니 하루하루가 설렌다. 내일이 궁금하다. 질릴 때까지 운동해 봤고, 지금은 춤도 배운다. 책 속에서 몰랐던 세상을 경험하고, 신문을 보면서 지적인 모습으로 변모하는 나도 좋다. SNS에서 나를 드러내고 부캐를 찾아가는 일의 재미도 쏠쏠하다. 사실 춤 실력을 좀 더 연마해서 내 콘텐츠와 연결지어 보고 싶은 꿈도 생겼다. 노래 부르는 것도 좋아해서 보컬학원을 알아보기도 했다. 하고 싶은 것이 너무 많아 하루가 48시간이면 얼마나 좋을까 생각한다. (딸이 나에게 하는 말이기도 하다.)

꿈도 생명력을 가진 존재로 느껴진다. 우연하게 생겨나기도 하고, 어떨 땐 이뤄지기도 하고, 어떨 땐 잊혀지기도 한다. 그러니 꿈을 너무 부담스러워할 필요는 없겠다.

앞으로도 나는 살아있는 나의 꿈들을 있는 힘껏 끌어안으며 살 것이다. 마음은 가족들과 사랑하는 사람들을 향하고, 가슴은 내가 원하는 미래를 그리며 늘 타오르고 싶다.

경제적 성과를 이루었거나 드라마틱하게 변한 삶의 반전이 없어서 이 글을 읽느라 시간을 쓰신 독자들에게는 죄송스럽다. 그래도 나처럼 엄마와 아내, 며느리로만 사는 삶이 만족스럽지 않으셨다면 내 글이 조금이나마 도움이 되지 않았을까. 뭔가는 하고 싶은데, 뭘 해야 할지 아직도 감이 안 오신다면 일단 대문 밖을 나서서 걷기라도 해보시길 바란다.

다리가 아려올 때쯤 도서관이나 서점에 가서 끌리는 제목의 책을 한 권 데리고, 조용한 카페에 자리를 잡는 것도 좋겠다. 예쁜 잔 속 잔잔하게 고인 커피를 옆에 두고, 홀짝거리면서 독서 시간을 만끽해보시면 어떨까. 책 속에서 몰랐던 무언가를 발견할 수도 있을 것이다.

책이 영 눈에 안 들어오신다면 표지 사진과 커피, 괜찮은 문장이 있는 페이지를 사진에 담아 인스타그램 스토리에 올려 보시라. 변한 당신의 모습을 재밌어하는, 혹은 정말 책 구절이 마음에 와닿은 지인의 DM(Direct Message)을 받으실지도!

아이나 남편이 아닌 나에 대해 깊이 생각하는 시간, 땀 흘리는 시간, 고요한 시간을 누리면서 매일의 목표를 정해 한 발짝, 아니 반 발짝이라도 나아간다면 지금의 짜증과 불안, 권태가 조금씩 녹아 사라지는 경험을 할 수 있을 것이다.

내가 하고 싶은 일, 되고 싶은 것을 꿈꾸면서, 아이와 함께 성장하는 삶을 살아 보는 건 어떠실지! 아무도 안 사줄지도 모를 책을 기어코 쓰고 있는 나와 함께 말이다.

참고 서적

1 . 박혜란, 다시 아이를 키운다면, 나무를 심는 사람들, 1996

2 . 김영하, 여행의 이유, 문학동네, 2019

3 . 애나 메리 로버트슨 모지스, 인생에서 너무 늦은 때란 없습니다. (모지스 할머니 이야기), 수오서재, 2017

4 . 박재연, 사실은 사랑받고 싶었어, 한빛라이프, 2023

마흔, 그리고 두번째 사춘기

by 최선영

목 차

프롤로그

20대 중반에 결혼하여 두 아이를 낳고, 엄마의 역할을 다한 지 어느새 마흔이 되었다. 아이들을 돌보며 살아가는 동안 자유시간이 너무 간절했다. 잠을 줄이고 시간을 쪼개가며 멀티태스킹의 달인이라도 된 듯, 바쁘고 정신없이 살아왔던 날들. 나는 나만의 시간을 갖고 싶었다. 어느덧 두 아이가 자라고, 나에게 그토록 바라던 자유시간이 주어졌다. 나는 그것이 마냥 기쁨과 행복으로 자리할 줄만 알았다. 그것만이 나의 자유와 행복을 보장해 줄 거라고 간절히 믿었다. 그러나 지금은 아이들을 키우며 자유를 그리워했던 그 시간이 나에게는 행복이었고 기쁨이었음을 비로소 알아간다.

과거를 추억해 보니, 자유에 대한 갈망은 그 시기에만 누릴 수 있었던 특권이었는지도 모른다는 생각이 든다. 나이가 들고, 많은 시간이 주어지니 어디에 어떻게 시간을 써야 할지 모르는 막막함과 함께 두려움이 몰려왔다. 그 두려움을 극복한 뒤에야 비로소 과거의 나를 그리워하고, 꿈을 그리워하는 나의 모습을 발견하게 되었다.

마흔. 중년이 되고서야 비로소 나도 꿈이 있고 성장하고픈 열망이 있음을 알게 되었고, 이제는 성장을 꿈꾸고 있다. 지나고 나니 모든 게 후회가 된다. 하지만 이제는 그 후회를 반복하고 싶지 않다. 그래서 나는 오늘도 꿈을 꾸고 성장하기 위해 노력한다.

엄마가 아닌 온전한 나로서, 꿈을 꾸고 성장하는 아름다운 삶의 여정이 시작된다.

1장

새로운 시작

전업주부로서의 나

2, 30대에는 두 아이를 키우는 일에만 전념하며 모든 시간을 보냈다. 직장을 관두고 보니, 두 아이 육아에만 진심을 쏟을 수밖에 없었다. 청소를 마치기 무섭게 하루에도 열두 번 집을 어질러 놓는 아이들을 케어하며, 정신없이 바쁜 삶을 살아가다 보니 나를 생각할 여유조차 없었다.

모처럼 시간이 비어 지인을 만난 어느 날, 지인은 내게 이렇게 말했다. "나는 일주일에 한두 번은 나만의 시간을 갖기 위해 아이들을 남편에게 맡기고 외출하는데, 그러고 나면 기분 전환이 되어 다시 육아에 전념할 수 있어서 좋더라. 자기도 그렇게 해봐." 나로서는 도저히 이해가 가지 않는 말이었다. '나? 나만의 시간 그게 뭔데? 그건 여유로운 사람들이나 느끼는 사치지. 어떻게 엄마가 돼서 자기를 먼저 생각할 수 있어. 아이들과 남편을 먼저 챙겨야지.' 그렇기에 지인의 말에 긍정도 부정도 하지 않은 채, 그냥 멋쩍게 웃어넘기던 나였다.

한 해 두 해 시간이 흘러 아이들이 학교와 학원에서 보내는 시간이 많아지다 보니 내게도 조금씩 자유시간이 생겼다. 그러나 자유를 만끽하던 것도 잠시, 예상치 못한 부담감을 느끼게 된 나였다. '왜 자꾸 자괴감이 들고, 미래에 대한 막막함과 두려움에 사로잡힐까?' 고민에 고민을 거듭한 결과, 나의 부담감은 "젊은데 집에서 노는 엄마"라는, 암묵적인 꼬리표에서 비롯되었음을 깨달을 수 있었다. 전업주부에게 눈치를 주는 사회적 분위기는 나를 자꾸 위축되게 만들었다.

긴 시간 동안 전업주부로 살다 보니 나는 제대로 할 줄 아는 게 없었다. 주위에 하나둘씩 직장에 다니는 엄마들이 늘어갈 때마다, 내가 느끼는 자괴감과 불안은 더 크게 자리 잡았다. 과거의 나는 '내 아이들만큼은 내 손으로 잘 키우는 엄마'를 꿈꿨고, 현재의 나는 '지금껏 나는 무얼 하고 살았지?'라는 의문에 휩싸였다. '그럼 미래의 나는?' 목표가 없는 삶은 생각할 것도 없이 막막하고 두려웠다.

40대가 되니 자신감을 느끼기는커녕 자존감도 바닥으로 추락하는 그런 나이가 되었다. 무엇을 시작하려니 주위에서는 '너무 늦은 나이가 아니냐'며 만류하고, 집에 있자니 '젊은데 왜 집에서 노느냐?'고 묻는다. 집에 있다고 마음 편히 놀기만 하는 건 절대 아닌데 말이다. 따라서 나는 그토록 바라던 자유시간이 생겼음에도 하나도 즐겁지 않았다. 자꾸만 주위 사람들의 눈치를 보게 되고, 작아져만 갔다. 두 아이를 키워놓은 뒤에는 일할 수 있겠지, 하는 생각만으로 아이들을 열심히 키웠는데, 막상 일을 시작하려고 하니 나도 모르는 사이 "경력 단절"이라는 꼬리표가 생겼다. 그 꼬리표를 마주하는 순간, 갑자기 뜨끈한 불덩어리 같은 화가 치밀어 오르는 걸 느꼈다.

'나는 아이들을 잘 키우기 위해 최선을 다했어. 좋은 아내, 좋은 엄마로서 열심히 살아왔어. 그런데 왜 갑자기 내가 경력 단절이라는 거야?' 처음에는 경력 단절이라는 수식어를 인정하고 싶지 않아 반항도 하고, 불평불만을 늘어놓기도 했다. 그럴 때마다 나는 점점 초라해져만 갔다. 오히려 아이들이 자라면 크게 신경 쓸 일이 없어지고, 그렇기에 직장 생활도 열심히 잘할 수 있지 않겠는가? "경력 단절"이라는 말은 전업주부라는 역할을 벗어던지고 사회로 진출하고자 하는 나와 같은 처지 엄마들의 앞길을 가로막는다.

변화를 결심한 나

하늘이 무너지는 경험. 내 곁에서 언제고 오래도록 함께할 것만 같았던 친정아버지. 그런 아버지의 암 투병 과정과 죽음을 마주하는 담담한 모습을 보며, 나는 많은 것들을 느꼈다.

암으로 인해 통증을 겪던 아버지의 1분 1초는 한 시간, 아니 열 시간의 고통과도 같았을 것이다. 아버지가 투병하던 당시는 코로나 19로 인해 보호자의 접견이 엄격히 통제되던 시기였고, 아버지의 임종을 병원이 아닌 집에서 맞을 수밖에 없었다. 진통제도 호흡기도 하나 없이, 그 참을 수 없는 고통을 온전히 느끼면서, 본인의 생이 얼마 남지 않았음을 받아들이기까지 아버지는 얼마나 두렵고 외로웠을까? 그렇게 아버지는 가족들 품에서 영원히 잠들었다.

누구에게는 간절한 1분 1초의 시간이지만, 또 다른 누군가에게는 크게 의미를 두지 않아도 그냥 흘러가는 그 1분 1초의 시간. 똑같은 1분

1초이겠지만 그 가치만큼은 다르지 않았을까? 삶과 죽음을 왔다 갔다 하는 시간 그 소중한 1분 1초의 시간을 경험하면서부터, 나는 변화를 결심하게 되었다.

나는 평소 시간을 쪼개 관리하는 것에 큰 관심이 없었다. "내가 헛되이 보낸 하루가 어제 죽은 이가 그토록 바라던 내일이다."라는 명언을 평소에도 잘 알고는 있었지만, 대수롭지 않게 넘겨 들었다. 그러나 이제 이 명언은 내게 특별하다. 친정아버지의 임종을 오롯이 함께하는 과정에서 이 명언은 더욱 특별해졌다. 그리고 내가 헛되게 보낸 그 시간이 우리 친정아버지가 살고자 했던 하루였음을 몸소 느낀 뒤부터, 죽는 날까지 열심히 살아야 하는 이유에 대해 알게 되었다. 이 명언이 내게 이렇게 특별하게 다가올 줄이야. 비록 아버지는 먼 여행을 떠나셨지만, 나는 깊은 깨달음을 얻었다. 이 깨달음은 우리 가족들이 자신들의 삶을 열심히 살아가길 바랐던 친정아버지의 마지막 선물이 아니었을까 하는 생각이 든다.

아버지를 막 떠나보낸 그 시기, 나에게는 힘든 일이 한꺼번에 몰려왔었다. 믿었던 사람들과의 마찰, 성인이 된 둘째의 독립, 그리고 40대에 찾아온 나의 두 번째 사춘기. 그런 어려움을 직면할수록 나는 점점 새로운 나로서 단단해져 갔다. 사실 나에게 성인이 된 둘째의 독립은 하늘이 무너질 듯 받아들이기 힘든 일이었다. 두 아이의 독립을 받아들이는 것 또한 마음의 준비가 되지 않았었기에, 큰 구멍이 뚫린듯한 공허함이 느껴졌다. 그러다 보니 혼자 있는 시간 동안 많이 외롭고 아팠다.

이런 나의 상황들을 찾다 보니 "빈 둥지 증후군"이라는 심리적인 병명이 있음을 알게 되었다. 다 큰 성인이 된 자녀를 품에서 떠나보내는 엄마들에게 많이 나타나는 증후군이라고 한다. 처음 겪어보는 심리적인 아픔과 내 나이 40대에 찾아오는 두 번째 사춘기를 함께 겪다 보니 무섭고 두렵고 아주 많이 불안했다.

질풍노도의 시기를 거치며, 나는 내 안에 있는 "작은 나"를 발견하게 되었다. 그때부터 일기를 쓰고, 책과의 대화를 시작했다. 내향적인 성격이다 보니, 평소 나의 감정이나 생각들을 표현하는 게 쉽지 않았던 나였다. 내 잘못이 아님에도, 기분 좋지 않은 말을 들어도 그냥 '내가 한번 참으면 되지?' 하며 넘어가기만 했던 나. 싫은 일이 생겨도 쉽게 거절하지 못하던 나. 그렇기에 다른 사람들에게 나는 늘 "이해심이 많은, 너그러운 사람"으로 비치곤 했었다. 그랬던 나는 사람들에게는 하지 못하던 나의 속마음을 일기로 뱉어냈고, 책을 통해 위로받았다.

처음에 일기를 쓸 때는 불편한 감정들을 쏟아내는 데에만 집중했던 것 같다. 상대에게 하지 못하는 말들을 쓰고, 화가 나는 일들에 대해 썼다. 가끔은 시원하게 육두문자도 섞어가면서 말이다. 한참을 그러다 보니 불편했던 마음에 안정이 찾아오기 시작했고, 나에 대한 마음과 감정, 생각들을 쓰게 되는 시기가 찾아왔다.

처음에는 읽을 책을 선정하는 것도 어려워했었다. 그래서 일단은 사람 사이의 관계와 관련된 제목의 에세이와 마음이 따뜻해지는 에세이로 나의 마음을 채워가기 시작했다. 책을 그다지 좋아하지 않았던 나였지만, 그때만큼은 사람들에게 받는 위로와 공감보다는 책을 더 신뢰하게 되었던 것 같다. 그러다 보니 책을 선택할 수밖에 없었다. 내 마음을 꿰뚫어 본 것만 같은 부끄러움을 느끼며, 책에 집중하는 삶. 나에게 어렵게 느껴지기만 했던 '책'은 어느새 내 마음을 따뜻하게 안아주고 위로하는 중요한 존재가 되어있었다. 그리고 나는 책을 통해 "내 안에 성장을 멈춘 작은 나"를 발견하게 되었다. 작고 여린 그 아이는 20대 중반에 멈춰 있었다. 하고 싶은 것 많고, 꿈 많고, 목표와 계획도 많던, 20대 시절의 그 모습 그대로.

2장

나도 나를 모르던 나

내 안의 몽글몽글한 꿈과 열정의 발견

　나의 마음 한구석에는 대학 학위에 대한 간절함이 있었다.

　3대가 함께 모여 사는 집에서 태어난 나는, 상업계 고등학교로 진학할 수밖에 없었다. '여자가 무슨 대학에 가냐'며 인문계 고등학교 진학을 극구 반대한 집안 어른들 때문이었다. 그때부터 나는 대학 졸업에 대한 갈증을 느꼈던 것 같다. 그래서 반드시 대학 학위를 받고 말겠다는 다짐 아닌 다짐을 해왔다.

　결혼 전 직장 생활을 하면서도 내내 그 생각을 해왔지만, 시간이 허락되지 않아 접을 수밖에 없었다. 하지만 언젠가는 반드시 학위를 받고야 말겠다는 결심은 변함이 없었다. 결혼하고 학위를 받을 방법들을 찾다 보니 매일 출석하지 않아도 되는, 사이버 대학 제도에 대해 알게 되었다. 마침 아이들이 조금씩 성장하면서 내게도 시간적인 여유가 생긴 때였다. '내게도 드디어 기회가 오는구나.'라고 생각하며, 대학 등록을 결심하게 되었다. 평소에 보석에 관해 관심이 있었기에, 보석 딜러 학과에 입학하게 되었다. 실습이 요구되는 학과이다 보니 실습수업에 출석도 해야 했지만, 일주일에 한 번뿐이니 일단 해보자는 마음과 안되면 그때 가서 또 다른 방법을 찾아보자는 마음을 가지고 도전했다.

지금 생각해 보면, 그것이 꿈과 목표를 실현하기 위한 첫 번째 도전이 아니었을까 하는 생각이 든다. 아이들을 챙기고, 집안일을 병행하면서 매일 강의를 듣고 평가를 받고 시험을 보면서 정신없이 바빴지만, 바쁨 속에서 느껴지는 또 다른 행복이 있었다. 힘이 들긴 했지만, 어느 순간 나도 모르게 그 행복을 즐기고 있었다. 간절함에서 뻗어 나오는 무한한 에너지는, 매 순간 힘듦이 찾아올 때마다 나를 지탱해 주었다.

몸이 열 개라도 부족하지만 내가 간절히 바라던 학위를 받기 위해 공부하니 하나도 힘들지 않았다. 지금 생각해 보면 그 에너지가 어디서 그렇게 샘솟았는지 모르겠다. 공부를 하는 과정에서, 내 마음에 몽글몽글한 나의 꿈들이 뭉쳐지고 있었다. 내가 생각지도 못했던 꿈들이 하나둘씩 모습을 드러내며 자라나고 있었다.

보석과 관련된 학과이다 보니 대학 수업만으로는 따라가기 쉽지 않다는 생각이 들었다. 그렇기에 나는 학원을 등록해서 부족한 부분들을 보충하게 되었다. 학원에 다니는 과정에서, 또 다른 목표가 보이기 시작했다. 보석 관련 자격증을 취득해야겠다는 나의 두 번째 목표가 생겼다. 혼자 공부하며 고독을 즐기는 것도 좋았지만, 학원에서는 다른 수강생들과 함께 배워가는 재미가 있어서 힘든 줄도 모르며 즐거운 마음으로 공부를 해나갔다. 그렇게 나는 나의 꿈과 목표를 위해 한 발 또 한 발을 내딛기 시작했다.

그러던 중 학원 선생님으로부터 디자인 공모전에 나가 볼 생각이 없느냐는 제안을 받았다. 나는 망설임 없이 대답했다. "한번 해볼게요." 대답을 내뱉는 것과 동시에 나의 세 번째 목표가 생겼다.

공모전에 작품을 출품하기 위해 아이디어 스케치를 하고 디자인을 하고 물감 채색을 하면서 나 자신과의 고독한 싸움이 시작되었다. 처음에는 혼자 훌쩍거리며 울기도 하고 무모한 도전을 했나 싶기도 했다. "그냥 포기할까? 아니 시작했으면 무라도 썰어봐야지. 무슨 소리야." 천사와 악마의 속삭임 사이를 오가며, 우여곡절 끝에 공모전에 작품을 출품했다. '상은 고사하고 제출하는 데 의미를 두자. 완성품을 제출한 게 어디냐.' 작품을 제출한 것에 스스로 위안을 삼기도 하고, 또 한편으로는 뿌듯해하기도 했다.

몇 주가 지나고 학원에서 연락이 왔다. 처음에는 작품을 찾아가라는 연락인 줄만 알았다. 아무 생각 없이 전화를 받은 나는 놀라움을 감출 수 없었다. 선생님에게서 들은 예상치 못한 축하의 말 때문이었다. "선영 씨~ 크게 밥 사셔야 할 것 같은데요." 선생님께서는 내 작품이 순위 안에 들었다고 했다. 그것도 핸드 드로잉 부문 최우수상에.

처음에 나는 농담인 줄만 알았다. 선생님의 말씀을 믿을 수 없었다. 그래서 인터넷 검색을 했더니 수상자 명단에 내 이름 석 자가 멋지게 쓰여 있었다. 그때의 기쁨은 말로 표현할 수가 없다. 단순히 회상하는 것만으로도, 두근두근한 과거의 설렘이 아직도 생생하게 느껴질 정도로. 나는 그렇게 우여곡절을 겪으며 세 번째 목표를 이뤄냈다.

하고자 하는 마음만 있으면 방법은 늘 어딘가에 존재한다는 것을 그 시기에 경험했다. "두드려라. 그러면 열릴 것이다."라는 말을 그때부터

믿기 시작했다. 내가 관심을 두고 열정을 가지니 모든 일이 일사천리로 진행되었고, 신기할 정도로 모든 상황이 나에게 이로운 쪽으로 돌아갔다. 그럴 때마다 종교도 없던 나는 '진짜 신이 존재하나?'라는 생각을 하기도 했다. 그때 그 생각만 하면 지금도 가슴이 뛰고 설렌다. 몽글몽글한 나의 꿈과 젊은 날의 열정이 그립다. 40대 중반이 넘은 지금도 물론 꿈과 열정이 존재하지만, 겁 없이 도전하던 그때의 무모한 열정과는 조금 다른 느낌이랄까⋯⋯. 지금은 조심조심 도전하는 열정에 가깝다.

당시 내 안에는 얼마나 많은 꿈과 목표들이 있었을까? 그때 생각을 하면 시간이 흘렀음에도 지금까지도 두근두근 그 설렘이 느껴진다. 무슨 배짱으로 고민하지 않고 도전할 수 있었을까에 대해 고민해보면, 젊음이라는 패기 하나로 밀고 나갔던 것이라는 생각이 든다. 시작하기 전에는 무모한 도전이었을지라도, 실행하고 보면 늘 나의 열정만큼이나 결과 또한 좋았다. 그 덕분에 새로운 도전을 할 수 있었던 게 아니었을까? 라는 생각을 해 본다.

꿈과 현실 사이에서 밀당 중입니다

그렇게 시간은 몇 해가 지나갔다. 학위를 취득했지만, 그래도 취업은 현실적으로 쉽지 않았다. 일을 준비하는 과정에서 면접을 보러 다니다 보니 "나이가 좀 많은데… 그리고 자녀가 너무 어려서 쉽지 않겠는데요." 라며 계속 거절당했다. 그런데도 '여기서 그만두면 내가 아니지.'라는 생각으로 계속 알아보다, 우연히 가족이 함께 근무하는 주얼리 매장에 인턴으로 입사하게 되었다.

처음에는 매일 아침 일찍 출근해 매장 청소와 잔심부름과 차 심부름을 하며 인턴 일을 시작했다. 그래도 일을 할 수 있다는 것에 감사하며 열심히 하면 분명 정식직원이 될 수 있다는 꿈에 부풀어 최선을 다해 근무했다. 그러나 사장은 몇 개월이 지나도 매장 일을 가르쳐주지 않았고, 처음 약속했던 근무 조건도 지켜지지 않았다. 근무 조건에 관한 이야기를 꺼내니, "우리는 그렇게 이야기한 적이 없는데, 이 일도 하기 싫으면 그만두던가요?"라는 말이 돌아왔다.

그때의 나를 떠올리려면, 아직도 큰 용기가 필요하다. 얼굴이 화끈거릴 정도의 비참함을 느꼈고, 쥐구멍이라도 있으면 들어가고 싶은 심정이었다. 자존심에 금이 가고 그나마 남아있던 나의 자존감마저 바닥으로 떨어졌다. 나의 절박함을 이용했다는 사실을 알게 되면서, 현실에 대한 괴리감을 느꼈고 모든 것을 쉽게 믿지 않게 되었다. 그리고 나는 어느새 나의 무능함을 탓하기 시작했다. 제대로 한번 따지지도 못하고, 수긍하듯 일을 관둔 것은 아직도 후회되는 일 중 하나다.

경력 단절 이후로 다시 사회생활을 하기 위해 매일 이력서를 쓰고, 하루에도 시간 나는 대로 일자리 사이트를 보고, 전화하며 면접을 보러 다니며 고군분투했다. 부푼 꿈과 목표를 가지고 열심히 하고자 하는 나의 마음과 달리 현실은 달라도 아주 많이 달랐다. 지금 생각해 보면 그 당시의 내 모습은 정말 세상 물정 모르고 자기 자신도 지키지 못하는 바보스러운 아줌마였다.

그러던 중 지인을 통해 특성화 고등학교에 귀금속 관련 학과에서 기능부 학생 관리 강사라는 계약직 하나를 소개받았고, 면접을 본 뒤 출근을 하게 되었다. 그렇게 나의 경력 단절은 끝이 날 거라는 기대감으로 매일 매일 즐겁게 근무했다. 그리고 전공과 관련된 일이었고 현장 시스템을, 학생들을 통해서 배울 수 있어 좋은 기회였다. 공부하면서 조그마한 액세서리 공방을 내고 싶다는 꿈이 있기도 해서 이번 기회에 잘 배워봐야겠다는 생각도 했었다. 학생들과 즐겁게 지내고, 학교 외부 행사에도 함께 참여하면서 그렇게 10개월을 보내고 나니 다시 계약종료 시점이 돌아왔다.

계약종료를 앞두자, 이전과 같은 불안감이 찾아왔다. 다시 경력 단절이 될 것만 같다는 생각에 늘 초조하고 불안했다. 점점 예민해지고 자격지심을 느끼며 '누가 나를 채용해 주겠어.'라는 생각을 하며 자기 비하로 가득한 하루하루를 보냈다. 세상을 보는 눈도 삐딱해져만 갔다. 이런 시간이 길어지다 보니 현실을 탓하고 자포자기하게 되었고 내가 꿈꾸고 계획하던 일조차 기억하지 못하며 점점 불안감에 빨려 들어가고 있었다. 꿈과 목표를 얘기하면서 두근거림과 설렘을 느끼던 그 모습은 온데간데없이 사라졌다. 나에게 꿈이라는 게 있었나 생각할 정도로, 또다시 존재감 없이 전업주부의 삶을 살던 그때의 나로 돌아가고 있었다. 그러면서 내가 꿈꾸던 이상과 내가 살아가는 현실은 다름을 실감하게 되었다.

3장

새로운 환경과 마주하다

두근두근 두려움, 콩닥콩닥 설렘

    대학 학위 공부를 하며 친하게 지내던 동생으로부터 한 권의 책 선물을 받게 되었다. 동생은 공부할 당시 나의 열정적인 모습과는 달리 너무도 다른 내 모습을 보면서 다시 예전의 그 모습을 보고 싶다며 무언의 응원을 해주고 있었다. 동생이 건넨 책 제목은 "켈리 최 회장님의 웰씽킹"이었다. 책을 그다지 좋아하지 않았던 나였지만, 이번엔 왠지 모르게 꼭 읽고 싶었다. 그리고 꼭 읽어봐야 할 것만 같았다. 꼭 읽어봐야겠다는 표현보다는 나의 내면에서 울리는 간절함이었을 것이다. 내면에서 느껴지는 뜨거운 무언가가 나를 자극하고 있었다. 첫 장에 켈리 최 회장님이 독자에게 전하는 그 한 문장 "켈리가 했다면 당신도 반드시 할 수 있습니다." 이 한 문장을 읽는 순간 심장이 두근두근 콩닥콩닥 요동치고 있음을 느낄 수 있었다. 아주 오래전 내면의 밑바닥에 쌓아 두었던 나의 빛나는 꿈과 목표들, 그리고 하고 싶었던 일들이 떠올랐다. 언제부터 쌓아두었는지 기억도 가물가물한 내 소중한 꿈들이 꿈틀꿈틀 대며 슬금슬 금 다가오고 있었다. 그날 느꼈던 그 두근거림, 새로운 사람을 만날 때 느끼는 콩닥콩닥 심장 뛰는 설렘을 경험했다.

나는 무의식적으로 계속 꿈을 그리워했었구나. 새로운 도전에 대해 두 려움은 있어도 그걸 나름 즐기고 있었구나. 나는 새로운 걸 배울 때 행 복하고 성장하고 싶은 열망이 강했었구나. 그때부터 나도 몰랐던 나의 모습을 발견하며 끊임없이 나 스스로 질문하기 시작했다. '어떻게 하면 나의 꿈을 이루고 성장할 수 있을까? 성장, 성공하는 사람들은 어떤 노 력을 했을까?' 스스로 많은 질문을 던지다 보니 내 모든 궁금증의 해답 은 바로 독서라는 사실을 깨닫게 되었다. 독서는 꿈을 이룬 사람들을 만 날 수 있는 가장 빠른 방법이었다. 한 권의 책 선물을 통해 잊고 있던 꿈을 만나고 나 자신과 대화를 나누고 역할에 붙여진 이름이 아닌 온전 한 나로 살아보고자 하는 간절함. 그 간절함 탓일까? 서점에 근처도 가 지 않던 내가 보고 싶은 책을 구입하기 위해 서점에 가서 책을 읽고, 어 떤 책들이 있는지 책을 구매하고 있었다. 나도 내가 신기하고 놀라울 정 도다.

한 권 두 권 독서하다 보니 배우고 싶은 것들이 생각나고, 해보고 싶 은 것도 마구마구 떠오른다. 카페에서 독서를 자주 하는 나는 어느 순간 맛있는 커피를 내리는 바리스타가 되고 싶은 꿈이 생겼다. 예전에 읽었 던 에세이의 작가님도 카페에서 책을 읽는 걸 즐기다 카페를 운영하게 되었고 독서를 하는 사람들을 위해 북카페를 열게 되었다는 얘기를 들은 적이 있다. 나도 카페에서 커피를 마시며 책을 읽는 걸 좋아하니, 그러 면 나도 맛있는 커피 내리는 방법을 좀 배워볼까 하는 생각이 들었다.

책을 읽으며 북카페를 열고 싶다는 막연한 꿈이 하나 또 추가되었다. 비록 지금 당장 카페를 운영하는 건 어렵겠지만, 하나하나 준비하는 과정이라 생각하고 차근차근 새로운 경험과 노하우들을 저축해 보려 한다. 카페를 경영하는 그날이 오면, 과거에 쌓아둔 나의 경험과 노하우가 피가 되고 살이 될 것이다. 나는 그날을 끊임없이 상상해 본다.

지금은 실패와 친해지는 중입니다

　나에게 실패는 정말 무섭고 두려운 존재였고 입에 담기 싫었던 단어 중의 하나였다. 내가 알고 있던 실패라는 단어의 의미는 그저 성공의 반대말일 뿐이었다. 그리고 성공하지 못할 바엔 시작조차 안 하는 게 낫다고 생각했었다. 그래서 계획했던 일을 실행할 때마다 시작도 하기 전에 실패할까 싶어 고민하고 신중하게 행동했고 그러다 보니 결국 실행도 못해본 일들이 정말 많았다. 그런 후엔 또 후회하기를 반복. 그러면서 스스로 세상과 벽을 쌓고 겁많은 쫄보가 되어가고 있었다.

　새롭게 직업을 찾을 때도, 실행에 옮기기 전에 겁부터 먹었다. '누가 나처럼 경력 단절이 된 사람을 채용하겠어?' 고민만 하다 끝을 내기 일쑤였다. 하루는 지인에게 "나 이제 애들도 컸으니, 일 시작할까 봐. 애들한테 들어가는 사교육비가 만만치 않기도 하고. 텔레마케터가 시간도 괜찮고 급여도 괜찮다는데, 언제 면접 한번 보려고."라고 말했다. 내 말을 듣던 지인은 "내가 아는 언니가 텔레마케터인데, 진상 고객 만나면 장난 아니래. 멘탈 다 털린다는데? 그리고 채워야 할 통화 수가 있어서 스트레스도 엄청 받는대. 왜 하필 그런 일을 하려고 해. 다른 일 알아보지 그래?" 나는 그런 지인의 말에 또 흔들려 텔레마케터 일을 포기했다. "거봐~ 내가 그럴 줄 알았어. 처음부터 안 하는 게 나을 거라 했잖아." 이 말을 듣는 순간, 불편한 감정이 울컥 생겨났다. "뭐야. 나를 생각해서 해주는 말보다 내가 잘되는 걸 시기하고 질투라도 하나?"라는 생각이 들었다.

내 삶의 주체인 나는 없었고, 다른 사람들 말에 집중하며 살다 보니 사람들 말에 휘둘렸고, 늘 속 빈 강정처럼 공허했다. 사람을 만나도 그 공허함은 해결되지 않았다. 그러던 어느 날, 운이 좋게 새로 오픈하는 소규모 주얼리 매장에서 근무하게 되었다. 과거의 일처럼 당하지 않기 위해 근무 조건을 확실하게 얘기하고 근로계약서를 쓰기로 했다. 점주는 며칠이 지나고 몇 달이 지나도 근로계약서를 쓸 생각을 하지 않았고 매번 미루기만 했다.

"우리 사이에 뭐가 그렇게 급해. 천천히 쓰면 되지. 언제라도 써서 주기만 하면 되잖아."라며 나를 달래듯 얘기를 했고, 굳이 사이가 나쁘지 않아서 그래도 되겠다 싶어 나도 크게 신경 쓰지 않았던 찰나에 일이 벌어졌다. 매출이 떨어진다는 이유로 갑자기 근무 조건을 마음대로 조금씩 변경하기 시작하더니, 하루에 4시간, 피크 타임에만 근무해 줄 순 없겠냐고 물어왔다. '매출이 오르면 달라지겠지?'라고, 생각했으나 그건 내 착각이었다. 이곳을 그만두면 일할 곳을 새로 찾아야 하고, 면접도 봐야 하기에 용기가 나지 않았다. 거절하는 게 힘들었던 나는 아무 말도 하지 못한 채 근무를 이어갔다. 처음엔 내 할 일만 잘하면 된다고 생각했지만, 시간이 지날수록 점주의 횡포가 심해졌다. 도저히 참을 수가 없어 몇 날 며칠을 고민했고 결국 그만두겠다고 이야기하면서 그동안 있었던 부당한 일들을 모두 털어놨다. 점주는 미안하다고 사과했지만, 신뢰가 깨지고 나니 도저히 함께 일할 수가 없었다. 결국, 또 그렇게 전업주부 생활로 돌아와야만 했다. 똑같은 일을 당하지 않기 위해 노력했는데… 세상 물정과 현실감이 떨어지는 나는 또 그렇게 돌아올 수밖에 없었다.

그래도 이번엔 내 처지에서 부당함에 관한 이야기들을 모두 털어놓기라도 했으니, 사실 마음이 조금은 후련했다. 그러나 주변에서는 참고만 있었냐며 바보처럼 당했냐며 화살을 또 나에게 돌렸다. 우물 안 개구리로만 살았던 나이기에, 선한 얼굴로 말하면 그게 그 사람의 진심이라 생각했고, '내가 해줄 수 있는 일들은 굳이 따지지 않고 그냥 하면 되지.'라고 생각했던 나였다. 그런 일들을 경험하게 되면서 조금씩 조금씩 세상을 알아가기 시작했고, 부당하다 싶을 땐 거절도 할 줄 알게 되었다. 그렇게 나는 실패를 통해서 조금씩 단단해져 가고 있었다.

실패를 통해서 배우는 게 있기도 하구나, 실패는 결코 나쁘기만 한 것이 아니었구나. 물론 실패로 인해 아플 때도 있다. 그러나 지금은 스스로 단단해지는 느낌이 나쁘지 않다. 내가 조금 더 세상을 알아가고 성장하고 있다는 것에 감사하는 중이다. 처음에는 몹시 아프고 두렵고 무서웠지만, 실패를 거듭할수록 받아들이는 마음 또한 유연해져 갔다.

어린 시절, 선생님들은 "실패는 성공의 어머니"라는 말을 자주 했다. 그때는 무슨 뜻인 줄도 잘 몰랐고 특별히 관심도 없었다. 그리고 와닿지도 않았다. 그냥 좋은 말이구나, 정도로만 생각했었다. 40대 중반이 되어서야 비로소 실패의 의미를 제대로 알아가고 있는 요즘이다. 마흔, 두 번째 사춘기를 겪고 나서야 비로소 세상을 좀 더 깊이 있는 시선으로 바라보게 되었고 멀리 보는 제3의 눈이 생기는 듯하다. 지금도 나는 실패를 하고 있고 앞으로도 실패하겠지만 그때마다 좌절하지 않고 실패와 친해지기 위한 연습을 하려 한다.

"실패는 성공하기 위한 과정이니까.〝

그리고 내 안의 나와 대화 중입니다

　나는 어릴 때부터 외로움을 많이 타는 사람이었고 나의 의견을 표현하는 게 서툴고 어색했다. 그냥 있는 듯 없는 듯 존재감 없는 유년 시절을 보냈다. 그렇게 살다 보니 성인이 되어서도 내 삶의 중심이 내가 아닌 타인이었다. 내 의견을 얘기하기보다는 상대방이 원하는 대로만 하다 보니 딱히 문제없이 지냈고 그런 관계가 좋은 관계라 믿었다. 그러다 보니 나라는 존재, 그리고 나의 내면은 생각조차 하지 못하고 살아왔다. 아주 가끔은 내 목소리를 내고 싶을 때도 있긴 하지만 용기가 부족해 늘 마음에 고스란히 차곡차곡 담아두면서 지내왔다.

　친정아버지의 죽음이라는 큰일을 겪고 나서야 비로소 나를 알게 되었고 나의 내면에 있는 작은 아이와 마주할 수 있었다. 요즘 나 자신에게 혼잣말하는 횟수가 늘어난다. 누가 보면 누군가와 대화하는 듯 말이다. 나는 조금씩 실패와 친해지면서 내면에 있는 작고 여린 아이를 마주하고 있다. 내면의 그 아이는 늘 내 옆에서 40여 년이 지나도록 나를 지켜주고 있었다. 긴 세월 동안 자신의 목소리 한 번 내지 못하고 싫은 게 있어도 표현 한 번 못 하면서 그럼에도 나를 믿고 의지하면서 나를 기다려 주었다. 언젠가는 자신의 존재를 알아주고 자신의 목소리를 들어줄 거라는 기대를 하면서. 다른 사람들의 마음은 따뜻하게 안아주고 보듬어주면서 정작 가장 먼저 돌봐줘야 할 그 아이는 돌봄을 받지 못하고 있었다.

그 아이와 처음 마주했을 땐 정말이지 너무도 작고 여려 마음이 너무나 아팠다. 내면의 그 아이는 자신의 의견을 제대로 표현하지 못했고 뭘 좋아하는, 뭘 싫어하는지조차 몰랐다. 늘 다른 사람들 기준에 맞춰 살다 보니 정작 챙겨야 할 그 아이의 자리는 없었다. 그 아이를 처음 만났을 때의 모습을 떠올려 본다. 소심한 성격으로 보이는 조그마한 여자아이가 저 구석에 웅크려 앉아 나를 쳐다본다. 자신도 이제 버틸 힘이 없으니 안아달라고 자신의 목소리를 들어달라는 간절한 눈빛이었다. 독서를 통해 나를 단단하게 다져가고 있을 무렵 내 안에서 누군가 조그만 목소리로 '이제는 나의 목소리에도 귀 기울여 줄 수 있니?'라고, 말한다. 나의 내면이 단단해지고 나를 알아가는 시간을 충분히 갖다 보니 내면에서 들려오는 소리를 똑똑히 들을 수 있는 준비가 되었다. 그 순간부터 나는 다른 누군가와의 대화보다 이 아이와의 대화에 집중하게 되었다. 불쑥불쑥 불편한 감정이 올라올 때도 무엇이 그 아이의 마음을 불편하게 했는지 기쁘고 행복이 충만할 때도 무엇이 이 아이를 제일 기쁘고 행복하게 했는지, 이제는 그 아이와 티키타카 대화를 나눈다. 무엇보다 좋은 건 다른 누군가에게 하지 못하는 나의 비밀 얘기들을 함께 나눌 수 있다는 것, 그리고 나에게 집중해서 나의 얘기들을 들어준다는 것이 가장 큰 장점이다. 내 안에 이렇게 좋은 찐친을 놔두고 그동안 나는 왜 내 얘기를 들어줄 상대를 밖에서만 찾아다녔을까. 잠시나마 반성해 본다.

아침에 일어나 제일 먼저 대화를 나눌 수 있는 상대가 있었고, 하루를 마무리하며 오늘도 잘했다고 토닥토닥 해주는 내면의 그 아이가 있어 나는 오늘도 행복하고 감사하다. 누구에게나 그 아이는 존재한다. 그리고 하루빨리 자신의 존재를 알아봐 주길 내심 기대하고 있는 게 아닐까? 내 안에 존재하는 그 아이처럼 말이다. 나의 내면의 아이는 시간이 지날수록 무럭무럭 잘 자라고 자신의 목소리를 내고 있다. 어린아이가 좋은 음식과 부모님의 사랑을 양분 삼아 잘 자라나듯 나의 내면의 그 아이도 나의 힘과 자존감의 에너지를 섭취하며 하루가 다르게 쑥쑥 잘 자라고 있다. 각자 내 안에 존재하는 그 아이에게 집중해 보자. 내면이 단단할 때 비로소 만날 수 있는 그 아이. 그 아이와의 만남은, 용기 있는 사람만이 얻을 수 있는 기회다.

당신 안에 있는 그 아이는 어떤 모습으로 당신을 기다릴까에 대해 생각해 보자. 나와 같이 작고 여린 아이인가? 아니면 체구도 크고 당당한 모습의 아이인가?

4장

꿈과 성장을 열망하는

나

함께라서 외롭지 않습니다

    마흔, 두 번째 사춘기를 겪으면서 20대의 홀로서기를 하듯 몹시 아프고 많이 외로웠다.

    따뜻함과 사랑으로 울타리가 되어주는 가족이 있어도 나의 내면을 채워줄 수는 없었다. 나의 내면에서 느껴지는 공허함은 그 누구도 대신할 수는 없었다. 오롯이 내 안에서 찾아야 할 영원한 나의 과제가 아닐지 싶다. 눈으로 보이는 것에 집중하며 밖에 시선을 두고 찾으려다 보니 그러면 그럴수록 외로움과 공허함은 더 커져만 갔다. 외로움을 느끼고 싶지 않아 사람들과 만남을 자주 가졌고 사람들에게 집중을 해보았지만, 만나는 그 순간뿐 나의 본질적인 공허함을 해결해 주지는 못했다. 혼자 있는 걸 극도로 싫어했던 나. 식당에서의 혼밥, 카페에서의 솔플, 혼자 영화보기, 쇼핑하기를 할 때 다른 사람들의 시선이 부담스러웠고 왠지 나를 쳐다보는 것만 같았다. 시간이 지나고서야 알게 된 것은, 그들은 아무도 나에게 하나도 관심이 없다는 것이다. 다른 사람들의 시선은, 온전히 나 혼자만의 착각이었다. 내가 연예인이 아니고서야 누구인지 관심도 없을 테고, 관심을 두고 싶지도 않았을 텐데 왜 그런 생각에 사로잡혀 스스로를 보이지 않는 줄로 꽁꽁 묶어놓고 행동에 제약을 두었는지. 차츰 혼자 있는 시간을 가지며 생각하고 나에게 집중해 본다. 처음엔 그 시간이 너무 어색해서 견디기가 쉽지 않았다. 꼭 내 옷이 아닌 맞지도 않는 남의 옷을 빌려 입은 느낌이라고 표현함이 딱 맞을 것 같다. 그렇게 하루 이틀 삼일… 익숙해지기 위해 계속 혼자 보내는 시간을 가지다 보니 나의 모습이 자연스러워지고 있었다.

하루는 따뜻한 햇볕 아래 혼자 커피를 마시면서 혼자 있는 시간이 묘하게 괜찮다는 사실을 알게 되었다. 그러고 보니 혼자 무언가를 하는 것에 재미를 느끼기 시작했다. 나에게 초점이 맞춰지고 내 생각에 집중하다 보니 자연스레 내 안에 존재하는 내면의 작은 아이를 만나게 되었다. 그리고 이제 남의 옷이 아닌 내 몸에 딱 맞는 옷을 찾아 입어가고 있음을 느끼고 있다.

나는 늘 혼자라고 외롭다고 그리고 공허하다고 생각했는데 사실은 혼자가 아니었다. 늘 내면의 작은 아이와 함께하고 있었다. 그 아이에게 너무나 미안했다. 늘 내 옆에서 나를 위로하고 격려해 주고 있었는데 말이다. 새로운 환경과 새로운 도전을 하려 할 때도 그 아이만큼은 전적으로 내 편이 되어 잘했다고 잘하고 있다고 나에게 용기를 주었을 텐데. 내가 용기를 내는 순간 그 아이 또한 용기를 내어 나에게 손을 내밀어 줬다. 그것은 나의 용기라기보다는 그 아이의 용기라고 믿고 싶다. 그 아이의 용기 덕분에 나는 든든한 내 편이 생겼고, 영원히 함께할 친구가 생겼다. 내 안에서 자신의 존재감을 드러내기 위해 많은 시도와 노력을 했을 것이다. 자신의 존재감을 알아주지 않음에도 언젠가는 알아줄 거라 믿고 끊임없이 자신의 목소리를 내어주었다.

지금까지 잘 버텨내고 살아올 수 있었던 건 내 안에 존재하는 그 아이의 힘이 아니었을까 하는 생각이 든다. 지금까지의 삶을 그 아이의 힘으로 잘 살아왔으니, 이제는 내가 그 아이에게 힘이 되어줄 차례다. 서로에게 기대고 기댐을 받으며 우리는 그렇게 평생을 함께할 찐친이 되어가고 있다. 영원히 함께할 나의 친구 내면의 작은 그 아이.

지금은 나를 믿고 꾸준함과 친해지는 중입니다

20대의 나는 제2금융권 은행에 입사했고 1년이 조금 넘게 다니던 중 허리 디스크로 인해 퇴사하게 되었다. 잠시 휴식의 시간을 가진 뒤, 또 지역 신문사에 입사하게 되었고, 조금 이른 나이에 결혼하게 되었다. 그렇게 내 20대의 직장 생활은 끝이 났다. 지금 생각해 보면 나는 꾸준함과 거리가 멀었다. 30대의 나는 어떤 모습이었는지 돌아보니, 학위 취득을 마치고 직업 선택으로 연결해 보기 위해 노력했지만, 결국 경력 단절이라는 타이틀과 함께 금세 포기하고 말았다. 전업주부로 살다 보니 세상과 단절되고 도태되어가는 것 같아 불안했다. 무언가라도 계속 배워야겠다고 생각하고 있었지만, 한 가지를 깊이 있게 배우지는 않았다. 새로운 배움을 통해서 나름대로 열심히 살고 있다며 나 자신을 위로했고, 그러다 지치면 또다시 게으름과 한 몸이 되어가기를 반복했다.

그때의 내가 생각했던 꾸준함은 한 직장에 몇십 년씩 다니고 한 가지

일에 몰두하는 장인정신이 깃든 일을 하는 사람들만이 꾸준한 사람이라고 생각했다. 그래서 꾸준함은 감히 내가 할 수 있는 영역이 아니라고 믿었다. 지금 생각해 보면 정말 어리석은 나였다. 단순함이 아닌 거창한 꾸준함을 찾으려 했고, 꾸준하게 사는 사람은 따로 있다고만 생각했다. 그리고 내가 꾸준함과 거리가 먼 사람임을 인정하며, 게으름에 승복한 채 그렇게 20여 년을 살아왔다.

'꾸준함'의 사전적 의미는 한결같이 부지런하고 끈기가 있는 것이다. 꾸준함은 단순히 외적인 행동뿐만 아니라, 내면적인 태도와도 관련이 있다. 여기에 전문적인 것과 장인정신과 관련된 말은 어디에도 없었는데, 나는 왜 꾸준함을 특별한 소수의 인원만 해낼 수 있는 일이라고 생각했을까? 어찌 보면 나도 나름의 꾸준함을 지키며 살아온 것일 텐데 말이다.

다시 생각해 보니 나도 꾸준히 몰입한 것이 하나 있다. 바로 전업주부로 사는 삶, 그리고 아이들을 챙기고 가족들을 챙겨왔던 나의 삶이다. 이 과정에서 스스로를 존중하지 않다 보니, 자연스레 내 삶을 소중하게 생각하지 않았다.

처음엔 우리 아이들만큼은 내가 잘 키워야겠다는 생각으로 전업주부 생활을 선택하게 되었지만, 시간이 길어지다 보니 밖에서 일하는 워킹맘들이 부러웠고 자연스레 자존감도 낮아지고 어느 것 하나에도 집중하고 꾸준히 하기가 쉽지 않았다. 지금 생각해 보면 그렇게라도 내 삶을 헛되이 보내지 않았음을 증명하고 싶은 나만의 핑계였는지도 모른다. 누구에게 꾸준함을 증명할 필요도 드러낼 필요도 없었는데 나는 왜 그렇게 증명하려 애를 썼고 다른 사람이 인정할 때 비로소 그게 꾸준함이라 생각했을까? 그냥 내가 할 수 있는 일들 하나하나가 습관이 되어 오랜 시간 하고 있다면 그것도 꾸준함이었을 텐데.

마흔이 지나고서야 비로소 "꾸준함"의 의미가 그리 특별한 게 아님을 알아가고 있다. 매일 무언가에 집중하고 반복적인 습관이 되다 보니 나의 일상이 되어간다. 나는 오늘도 매일 독서하고, 운동과 소소한 일상을 기록한다. 나는 이 또한 꾸준함을 실행하는 것과 같다고 믿는다. 어떤 일이든 즐기면서 오래 하도록 유지하는 것이야말로 그냥 꾸준함이다. 거창할 것도 그리 특별할 것도 없는, 그냥 즐기면서 오래 하는 생활 방식들. 예를 들면 매일 산책하기, 10분 독서하기, 글쓰기, 스트레칭, 일기 쓰기 등등 자신이 정해놓은 소소한 목표나 계획들을 오랜 시간 동안 즐기면서 하는 것이라면 그것 또한 꾸준함이다. 나이가 들어가니 거창함과 특별함을 바라지 않게 된다. 익숙하고 소소한 것에도 감사함을 느낀다. 그렇기에 나는 나의 40대가 좋다. 거창하지도 그리 특별하지도 않은, 평범한 나이 마흔. 꾸준히 무언가를 할 수 있고 마음의 여유가 찾아오고 좀 더 넓은 시야로 세상을 바라볼 수 있는 나이 마흔!

꿈, 성장, 그리고 설렘

꿈, 성장이라는 이 두 단어가 누군가에게는 자신과 상관도 없는 말이며, 헛된 상상인 것처럼 느껴질 수도 있다. 반면에 세상에는 꿈을 꾸면 언젠가 이룰 수 있다고 믿는, 그렇기에 그냥 한번 도전해 보는 유형의 인간도 존재한다.

나는 이 두 가지 유형에 모두 속해 보았다. 2, 30대 시절의 나에게는 꿈, 성장이라는 단어가 헛된 상상에 불과했다. 그리고 꿈이라는 단어는 시간 많고 팔자 좋은 사람들이 하는 사치라고만 생각했다. 꿈. 성장. 형체도 없고 막연하기만 한 단어들.

사실 꿈과 성장이라는 단어가 나와는 거리가 먼 이야기라 생각했었다. 두 살 터울의 남매를 키우고 있는 나로서는 도저히 이해할 수 없는 막연한 단어들이었다. 정신 못 차리게 바쁘고 전투태세와 가까운 삶을 살아가던 나에게 꿈을 꾸고 성장을 하라니 말도 안 되는 소리라고만 생각했다. "애들 챙기고 남편 챙기며 집안일도 해야 하고, 하다못해 잠잘 시간도 부족한 나인데, 뭔 꿈을 꾸고 성장을 하라는 거야. 현실에 적응하기도 바쁘고 치열한 엄마의 삶은 있어도 나를 위한 삶은 그 어디에도 없는 나에게 무슨 꿈을 꾸고 성장하라고!"

따뜻한 햇볕을 받으며 차 한잔을 즐기던 어느 날, 막연하게 느껴져서 잊고 있던 "꿈과 성장"이라는 단어가 떠올랐다. 자신만을 위한 시간이 허락되고 나니 마음의 여유가 찾아왔고 여유를 찾으니 비로소 꿈과 성장이라는 단어가 내 마음에 살포시 들어왔다. 이제는 꿈과 성장이라는 단어가 들리고, 보이고, 만져지는 것만 같다. 그동안 말도 안 된다고 배척했던 것들에게 괜히 미안한 마음이 들어, 슬며시 관심을 두기 시작했다.

그렇게 조금씩 관심을 두다 보니 엄마들도 꿈이 있다고 외치는 김미경 강사님의 책들이 눈에 들어왔고, 그 책들을 한 권 두 권 찾아서 읽게 되었다. 그리고 영상들을 찾아보기도 하고 우연찮은 기회로 김미경 강사님 강연을 세 번이나 다녀오는 경험을 했다. 이런 경험들이 한 번 두 번 쌓이다 보니 나에게도 꿈과 성장에 대한 간절함이 있었고, 다만 현실에 치여 그걸 생각할 마음의 여유가 없었던 거였다는 사실을 알아가게 되었다.

그럼 나는 꿈을 이루고 성장하기 위해 어떤 노력을 해야 할까?라는 질문을 던짐과 동시에 따뜻하고 몽글몽글한 무언가가 꿈틀거리는 경험을 하게 되었다. 40여 년을 살아오면서 자신에게 질문하는 경험은 처음이었고, 그 질문을 통해 자신을 알아가려는 나에게 고마움이 느껴졌다.

그럼 다시 돌아와서 나의 꿈은 무엇인가 생각해 보았다. 거창한 꿈은 금방 포기해 버릴 것만 같아 소소한 꿈부터 실행해 보려 한다. 책을 많이 읽어보고 싶다. 나의 글을 쓰고 싶다. 내가 쓴 글을 통해 나와 같은 처지의 엄마들이 꿈을 통해 성장할 수 있도록, 그리고 스스로 자신의 가치를 찾아갈 수 있도록 용기를 전하고 싶다. 꿈을 꾸고 조금씩 변화되어 가는 내 모습이 조금은 어색하지만, 또 신선하기도 하다. 그 신선함이 은근히 기분이 좋아 오래도록 즐겨 볼 생각이다. 현실적인 엄마도 좋지만, 이제는 꿈이 있는 엄마, 꿈을 꾸는 엄마, 그리고 꿈을 찾는 엄마가 되어보려 한다.

이제 나에게 꿈과 성장이라는 단어는 설렘으로 다가온다. 단순히 형체가 없고 막연한 단어가 아닌, 내가 생각하고 꿈꾸는 대로 구체화할 수 있음을 알았다. 그래서 지금, 이 순간에도 나는 꿈과 성장을 위해 나만의 글을 쓰고 있다.

5장

꿈과 함께 성장하는 나

성장하며 보이는 것들: 관점과 사고의 유연함

성장하며 보이는 것들이라고 하니 좀 거창하게 느껴질 수도 있을 듯하다. 내가 생각하는 성장이란, 아주 작은 하나하나의 변화들이 모인 것이 아닐까 하는 생각을 해본다. 누군가는 급격한 결과를 보여주는 성장을 할 수도, 또 다른 누군가는 천천히 그리고 꾸준히 성장할 수도 있다.

각자의 시간이나 노력, 그리고 능력에 따른 속도의 차이가 생길 순 있다. 그러나 자신의 내면을 단단하게 만들기 위해 목표를 설정하고 노력한다는 것은 분명 같을 것이다. 26년이라는 시간 동안, 온전히 전업주부로 살아온 나는 성장하고 싶은 마음에 자기계발서를 찾아 읽고, 꾸준히 운동하고, SNS 계정을 운영하면서 많은 변화를 경험하고 있다.

발전하고 싶은 마음과 약간의 관심만 있다면 성장할 기회들은 정말 많다. 나는 특히 SNS를 하면서 결이 같은 사람들과 소통하고 커뮤니티 모임에 참여하는 과정에서, 본인이 가지고 있는 지식과 정보를 나누는 사람들이 많음을 실감하는 중이다. 책을 출판할 기회 또한 커뮤니티에서 알게 된 작가 탄생 챌린지에 참여하게 되면서 주어진 것이다.

내게는 생소했던 디지털 노마드, 지식창업이라는 말들이 이제는 조금씩 익숙해지고 있다. 또한, 나도 그 대열에 합류해 보고자 노력하고 있다. SNS 활동을 통해 느리지만, 꾸준히 성장하고 있는 나. 이런 경험을 통해 나는 성장에 대한 욕구가 강한 사람이라는 걸 알게 되었고 나를 조금씩 알아가고 있다.

처음에는 나의 성장과 다른 사람들의 성장을 비교하다 보니, 조급함만 느껴졌었다. 무언가 눈에 띄는 결과를 얻고 싶었던 모양이다. 그렇기에 더 빠른 성공을 일구고 싶어졌고, 눈에 띄는 결과를 내고자 나 자신을 안달복달 재촉하고 있었다. 나는 나도 모르는 사이에 성장의 본질과 점점 멀어져 갔다.

빠른 성장과 좋은 결과를 내고자 욕심을 내는 순간부터, 나에게는 위기가 찾아오기 시작했다. 내가 꾸준히 하던 활동에 대해 흥미를 잃게 되었고 의욕은 떨어졌음에도 부담은 백배로 늘어나는 경험을 하게 되었다. 가족들이 보기에도, 모든 것을 즐기던 처음의 내 모습과 달리, 무언가에 쫓기며 부담을 느끼는 것처럼 보였는지 뼈 때리는 조언을 하기 시작했다.

"꿈을 찾고 좋아하는 걸 열심히 하는 모습은 정말 보기 좋아. 그리고 즐겁고 행복해 보이기도 했고, 하지만 지금은 아니야. 무언가에 쫓기듯 조급해하면서 안 하면 큰일이 날 것처럼 책을 읽고 글을 쓰고 SNS를 하는 모습들이 전혀 즐겁고 행복해 보이지 않아. 그리고 늦은 시간까지 잠을 안 자니까 건강을 해칠까 걱정이 되기도 하고."

남편의 말을 듣고 보니, 내가 초심을 잃었음을 깨닫게 되었다. 나도 모르게 성장이 빠른 누군가와 경쟁하고 있었다. 그렇게 조급한 마음이 들다 보니 성장의 본질과는 점점 멀어져가고 있었다. 본질을 잃어버리니 내가 무얼 위해 책을 읽고, 글쓰기를 하고, SNS를 하는지 방향을 잃었고, 헤매고 있었다. 가족들의 조언이 내게는 잠시 잊고 있던 성장의 본질을 다시 일깨워 주는 계기가 되었다. 이러한 시행착오 또한 내가 성장하고 있는 일부분이 아닐까 하는 생각이 든다. 글을 쓰는 지금도 문득 내가 잘하고 있는 건지, 스스로 질문을 던지는 중이다. 고기 맛을 아는 사람이 고기를 즐길 줄 안다는 말처럼, 성장하는 사람만이 더 큰 성장을 바랄 수 있다는 걸 체감하는 중이다.

성장이 사치스러운 말이라고 생각하던 나. 이제는 나의 성장을 위해 시간을 투자하고 있다. 좋아하는 일들을 찾아가는 것만으로도, 내가 성장하고 있음을 느낀다. 그리고 앞으로, 꾸준히 성장해 나갈 나의 모습이 기대된다. 타인과의 비교가 아닌, 나의 과거와 현재를 비교하기. 저마다 걷는 속도가 다르듯, 나는 나만의 속도로 꾸준히 나아가 보려 한다.

나만의 색깔을 찾기 위한 여정

나는 왜 시선이 집중되는 걸 부담스럽게 생각하고 두려워할까? 시선이 집중되는 상황을 마주할 때마다, 이런 류의 고민을 자주 하게 된다.

나는 보수적인 집안에서 자라왔기에 의견과 목소리를 내는 일이 항상 어려웠다. 그리고 그 시절에는, 딸의 의견 따위는 그다지 중요하지 않다. 오직 아들의 의견만이 중요했고, 어른들은 아들의 목소리에만 귀를 기울였다. 이런 가정환경에서 지내다 보니 자연스레 내 의견과 내 목소리를 드러낼 수 없었던 게 아니었을까 하는 생각이 든다.

성인이 된 지금까지도 여러 사람이 모인 자리는 늘 불편하다. 그리고 나의 의견과 목소리를 내세우는 건 유독 부담스럽다. 따라서 사람들을 만나면 내 이야기를 하기보다 들어주는 게 더 익숙했고 그러다 보니 자연스레 이야기를 잘 들어주는 사람이 되어있었다.

지인들 모임에서 식사 메뉴를 고를 때에도 내 의견을 말하기보다는 상대를 배려하고 존중하려 노력하던 나.

"우리 오랜만에 만났는데 맛있는 거 먹자. 뭐 좋아해? 로제 파스타, 봉골레 파스타, 크림 파스타, 리조또도 있는데 뭐 먹을까?"

"전 아무거나 다 잘 먹어요. 언니가 정하는 대로 할게요."

그냥 나를 드러내지 않으면서 적당히 묻어가는 삶이 익숙했다. 그게 편한 삶이고 평범한 삶이라고 생각했다. 때로는 무던한 성격으로, 다른 사람들이 보기에 까다롭지 않은 사람으로. 나만의 색이 없는, 재미없는 삶을 살아왔다.

그렇게 존재감 없이 있는 듯 없는 듯 살다 보니 점점 사람들 앞에 나서는 게 두렵고 불안했다. 나를 드러내지 않는 삶에 점차 익숙해졌다. 가끔 자기 목소리를 드러내고 의견을 얘기하는 사람들을 볼 때면, 까탈스럽고 유난스럽다고. 그냥 적당히 넘어가면 될 것을 꼭 짚고 넘어간다고만 생각했었다. 내 의견을 드러내지 않는 나로서는 그들이 까탈스럽고 유난스러운 사람으로밖에 보이지 않았다. 돌이켜 보니 그렇게 생각했던 건, 자신의 색깔을 분명히 드러낼 줄 아는 그들이 부러워서였던 게 아니었을까? 나 역시도 나의 목소리를 통해 내 의견을 드러내고 싶지만, 그럴 용기가 없어서 그리고 자신감이 없어서 항상 그러지 못했다.

어느 순간 나의 삶을 돌아보니 참 재미없는 삶을 살아왔다는 생각이 들었다. 어릴 때는 부모님의 말씀을 잘 듣는 아이로, 중학교 때도 선생님들이 관리하기 좋은 말썽 한 번 안 부린 모범적인 여중생으로, 고등학교 때도 역시 사고 한 번 안 치고 조용하다 못해 존재감 없는 착실한 여고생으로. 그렇게 제대로 놀아보지도 사고 한 번 쳐보지도 않은 무채색 같은 유년 시절을 보냈다.

성장에 대한 열망이 커지다 보니, 자연스레 나의 목소리로 의견을 전달하고, 존재를 드러내고 싶은 욕구가 불쑥불쑥 올라온다. 인간의 본성은 타인으로부터 자신을 드러내는 것이라 한다. 그래서 사람들은 자기 이야기를 꺼내는 걸 좋아하는 것이다. 듣는 것에 익숙했던 나도 이제는 나의 이야기를 하고 싶어졌다. 나의 꿈과 성장에 대한 이야기, 실패하고 좌절했던 이야기, 그리고 실패를 통해 다시 성장하는 이야기 등등. 나만의 색이 녹아든 내 이야기를 하고 싶다.

자기 계발을 통해서 나를 알아가고 나를 표현하는 방법 등을 배우게 되었고, 커뮤니티모임과 독서 모임에 참여하면서 나의 의견과 생각을 얘기하기 시작했다. 그러다 보니 자연스레 나의 의견과 생각을 발표할 기회들이 조금씩 생겼다. 나의 의견을 이야기하고 나에게 집중해 주는 분위기를 접하다 보니, 내가 사람들로부터 존중받고 있음을 알게 되었고, 그동안 나도 나의 존재를 드러내고 싶었음을 알 수 있었다. 이제는 내 생각과 이야기를 꺼내며 나의 존재감을 드러내고 싶다고, 당당히 말할 수 있다.

한 번도 내 이야기를 해본 적이 없는 나에게, 존재감을 드러내는 것은 정말 큰 도전이었다. 자기소개할 때마다 나를 어떻게 소개해야 할지 막막했고, 나에게 집중되는 시선도 부담스러웠다. 얼굴은 후끈후끈 달아오르고, 목소리는 떨려서 내가 무슨 말을 하고 있는지도 모르고. 등줄기는 땀이 주르륵 흘러내리고. 정신이 가출할 것만 같았다. 아직도 새로운 자리에서 내 의견을 이야기하는 게 쉽지는 않지만 한 번 두 번 해보니 조금씩 변화되고 있음을 느낀다. 그리고 새로운 시도와 경험을 통해 나의 의견을 말하고, 좋아하는 것, 먹고 싶은 것을 이제는 자신 있게 말할 수 있다. 아직도 쑥스럽고 어색하긴 하지만, 차근차근 도전한다면 언젠가는 나의 색깔이 드러난 내 이야기를 할 수 있지 않을까? 나만의 색깔을 찾아가는 길이 쉽지는 않지만, 그 짜릿함 또한 꽤 괜찮은 기분으로 다가온다. 매운 음식을 먹을 때처럼, 매운맛에 중독되는 그 느낌처럼 지금도 나는 나의 색깔을 찾아가고 있고 앞으로도 나만의 색깔 찾기 여정은 계속될 것이다.

지금은 나를 사랑하는 중입니다

마흔, 40대가 되어서야 비로소 나는 나를 사랑하는 중이다. 특별하게 세련되진 않지만 수수하고, 교활하기보다는 너그러운 마음을 가진 나여서 좋다. 빨리 빨리에 익숙하고 변화가 빠른 세상에서 살고 있지만, 천천히 세상을 알아가고 배워가며 여유를 가지는 나의 40대.

마흔, 나의 두 번째 사춘기를 앓아가면서 나는 첫 번째 과제를 잘 마쳤다. 그리고 이제 내가 중심이 되는 두 번째 과제를 시작하려 한다. 나의 두 번째 과제는 나 자신을 사랑하기. 나는 무엇을 잘하고, 무엇을 좋아하는지. 그리고 앞으로 하고 싶은 게 무엇인지 하나하나 알아가는 재미를 즐겨보고자 한다.

자신을 사랑하다 보니 나를 알아가는 시간과 나에게 집중하는 경험을 통해 꿈을 꾸며 성장하고 싶어졌다. 그리고 그 꿈이 얼마나 가치 있는 일인지에 대해 알아가고 싶다. 디지털 노마드 시대에 사는 40대의 평범한 엄마도 1인 사업가가 되고 책을 읽고 글을 쓰면서 작가가 될 수 있다는 꿈을 전하고 싶다. 나와 같이 육아에 전념하고 가족에 집중한 삶을 살아온 전업주부들에게 그동안 고생 많았다고. 그리고 이제는 당신의 마음을 설레게 만드는 꿈을 찾아가라고 말하고 싶다.

마흔이 된 엄마들에게 자신의 꿈과 성장이 얼마나 가치 있고 소중한 일인지 전하고 싶다. 40대, 경력 단절을 경험했던 자존감 없던 엄마도 이제는 꿈을 꾸고 노력하니 꾸준히 성장하고 성공하는 삶을 살아갈 수 있음을 전하고 싶다. 비록 그 성장에는 실패와 어려움, 힘듦이 따를 것이지만, 그 또한 천천히 과정을 즐기면서 살아가려 한다. 새로움보다 익숙함이 편한 나이지만, 그 새로움을 통해서 조금씩 중심을 찾아가는, 나의 두 번째 과제를 수행하는 여정이 설레고 기대된다.

자아를 찾기 위해 많은 시행착오를 겪었던, 첫 번째 질풍노도의 시기를 떠올리면서. 두 번째 맞이하는 질풍노도의 시기는 성장하는 과정을 기록하고 조금 더 너그러이 즐겨볼 계획이다. 조금은 두렵지만 시작하는 것에 의미를 두고 완벽하기보다 조금은 부족해도 실행하는 데 의미를 두며 한 계단 한 계단 올라가 보려 한다. 빠르지 않아도 꾸준하게, 결과가 좋지 않아도 과정을 즐기며, 나의 삶을 멋지게 그려나갈 계획을 세우는 것만으로도 가슴이 벅차고 떨린다. 그리고 나의 새로운 비상을 꿈꾸는 과정이 두근두근 설렌다. 지금 이 글을 읽는 이들에게, 내가 인상 깊게 읽은 데일 카네기의 말을 전해주고 싶다.

우리에게는 자신조차 알지 못했던 능력이 있다. 한낱 꿈이라고 생각했던 일을 해낼 수 있는 힘이 우리에게는 있다. 누구라도 반드시 그렇게

해야만 하는 절박한 상황에 처한다면, 지금까지 불가능하다고 생각했던
일도 실제 해낼 수 있다.[5]

   당신의 꿈을 위해, 당신이 가지고 있는 그 초인적인 능력을 응원하며,
글을 마친다.

---

5) 데일 카네기, 『나는 나를 지배하고 싶다』, 「그동안 몰랐던 나의 힘」,
   월요일의 꿈, 2023, p.211.